Bro a Bywyd

R. Williams Parry

Golygydd/T. Emyr Pritchard

Cyhoeddiadau Barddas 1998

Argraffiad cyntaf: 1998

ISBN 1 900437 26 0

Y mae Cyhoeddiadau Barddas yn gweithio gyda chefnogaeth
ariannol Cyngor Celfyddydau Cymru, a chyhoeddwyd
y gyfrol hon gyda chymorth y Cyngor.

Cyhoeddwyd gan Gyhoeddiadau Barddas
Argraffwyd gan Wasg Dinefwr, Llandybïe

Rhagair

'Un diarhebol anodd dod o hyd i luniau ohono yw R. Williams Parry. Go brin y gellid paratoi cyfrol amdano yn y gyfres ddeniadol *Bro a Bywyd* gan mor fylchog yw'r deunydd.' Dyna farn un o olygyddion *Taliesin* yn rhifyn Gwanwyn 1994. Wrth chwilio am ddefnyddiau ar gyfer y gyfrol hon, o fis Awst 1994 ymlaen, rhaid cyfaddef y cytunwn yn aml â'r farn hon.

Yn sicr ddigon, y mae lluniau o R. Williams Parry yn brin ac yn fylchog. Y bwlch mwyaf yw lluniau cynnar teulu Rhiwafon. Mae'n anodd credu nad oedd lluniau o'r fath yn bod ar un adeg, ond er taer chwilio, ni lwyddwyd i'w canfod.

Ond fe fu llecynnau goleuach yn yr ymchwil, ac o dipyn i beth, fe gasglwyd digon o ddefnyddiau i gyfiawnhau cyhoeddi llyfryn fel hwn. 'Darganfod' yr albwm ffotograffau a gadwai Myfanwy Williams Parry yn sicr oedd un o'r llecynnau golau. Yr oedd trysorau yn hwn: cipolwg o'r bardd, trwy lens y camera, ar ei gefndir teuluol, anffurfiol, a golwg ddadlennol ar deulu ei wraig.

Digwyddiad arall nas anghofir yn fuan oedd gweld cywydd newydd sbon gan R. Williams Parry (newydd yn yr ystyr nad oedd wedi ei gyhoeddi), a'r cywydd yn llaw y bardd ei hun, a llun o waith y bardd wrth ei ochr. Cywydd cynnar oedd hwn, a ysgrifennwyd ym 1906, gyda'r teitl cwbl annisgwyl: *The Old Sea-dog*. Yn nhref ddi-fôr y Bala, ar ddiwrnod oer ym Mawrth 1997, y bûm yn ddigon ffodus i daro ar yr hen *Sea-dog* hwn.

Ceisiwyd trefnu'r defnyddiau i roi darlun mor ddilynus ag oedd yn bosibl o fywyd y bardd. Glynwyd yn glòs wrth y drefn amseryddol, gan geisio dilyn nifer o themâu yr un pryd.

O angenrheidrwydd, golwg arwynebol ar fardd mawr a geir mewn llyfryn lluniau fel hwn. I gael golwg amgenach ar R. Williams Parry y bardd, rhaid troi at lyfrau eraill, ond yn bennaf at y cerddi eu hunain, a rhyfeddu unwaith yn rhagor at gyffyrddiad dewinol un o artistiaid mwyaf y gair yn yr iaith Gymraeg.

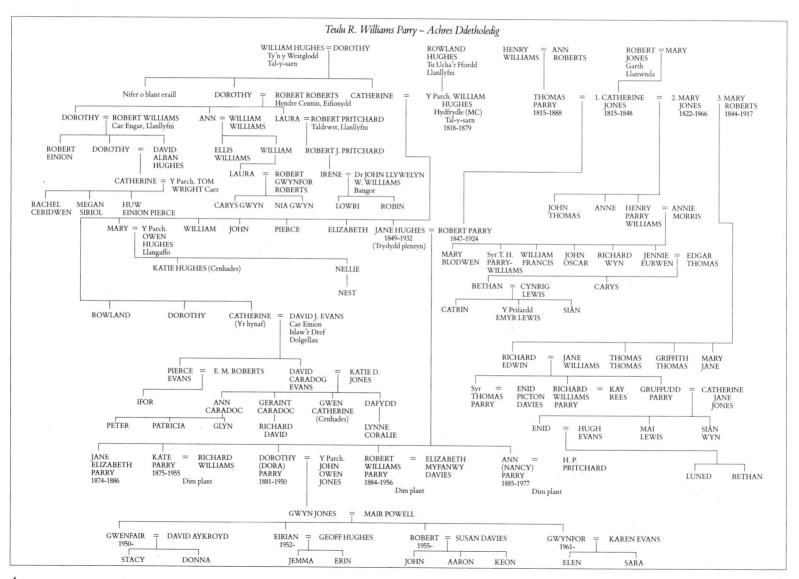

Teulu R. Williams Parry – Achres Ddetholedig

1

1. R. Williams Parry.

2

2. Rhiwafon, Station Road, Tal-y-sarn. Yn y tŷ rhes hwn, ar 6 Mawrth, 1884, y ganwyd Robert Williams Parry, ac yma y magwyd ef. Yr oedd yn fab i Robert a Jane Parry. Yn y llun, ei chwaer Kate sy'n sefyll yn nrws y tŷ. Hi a arhosodd yn y cartref.

Saif Rhiwafon ar fin y briffordd trwy Ddyffryn Nantlle, o Ben-y-groes i gyfeiriad pentref Nantlle neu Faladeulyn, a Rhyd-ddu. Yn union tu draw i'r ffordd, yn oes Williams Parry, yr oedd y rheilffordd o Ben-y-groes i orsaf Tal-y-sarn (a elwid yn Nantlle Station), a thu draw i'r rheilffordd yr oedd tomen rwbel y Gloddfa Glai. Oherwydd y domen chwarel ni welid Dôl Bebin y Mabinogion o Riwafon. Chwalwyd y rhamant gan y ddiwydiannaeth newydd, yn ôl Williams Parry:

> Yn Nhal-y-sarn ysywaeth
>   Ni welwn Lyfni mwy,
> Na gwartheg gwyrthiol Pebin
>   Yn eu cynefin hwy.
> Buan y'n dysgodd bywyd
>   Athrawiaeth llanw a thrai:
> Rhyngom a'r ddôl ddihalog
>   Daeth chwydfa'r Gloddfa Glai.

'Y Ddôl a Aeth o'r Golwg'
(Dôl Pebin y Mabinogion),
Cerddi'r Gaeaf (1952)

3a

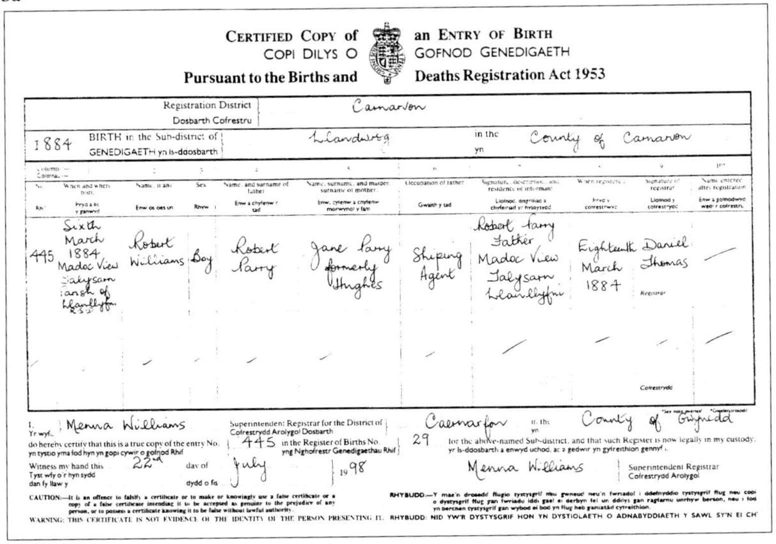

CERTIFIED COPY of an ENTRY OF BIRTH
COPI DILYS O GOFNOD GENEDIGAETH
Pursuant to the Births and Deaths Registration Act 1953

Registration District / Dosbarth Cofrestru: Carnarvon

1884 BIRTH in the Sub-district of / GENEDIGAETH yn Is-ddosbarth: Llandwrog in the / yn County of Carnarvon

No. / Rhif	When and where born / Pryd a lle y ganwyd	Name, if any / Enw os oes un	Sex / Rhyw	Name, and surname of father / Enw a chyfenw'r tad	Name, surname, and maiden surname of mother / Enw, cyfenw a chyfenw morwynol y fam	Occupation of father / Gwaith y tad	Signature, description, and residence of informant / Llofnod, disgrifiad a chyfeiriad yr hysbysydd	When registered / Pryd y cofrestrwyd	Signature of registrar / Llofnod y cofrestrydd	Name entered after registration / Enw a gofnodwyd wedi'r cofrestru
445	Sixth March 1884 Madoc View Talysarn Parish of Llanllyfni R.S.D.	Robert Williams	Boy	Robert Parry	Jane Parry formerly Hughes	Shiping Agent	Robert Parry Father Madoc View Talysarn Llanllyfni	Eighteenth March 1884	Daniel Thomas Registrar	

I, / Yr wyf, Menna Williams Superintendent Registrar for the District of / Cofrestrydd Arolygol Dosbarth Caernarfon in the / yn County of Gwynedd do hereby certify that this is a true copy of the entry No. / yn tystio yma fod hyn yn gopi cywir o gofnod Rhif 445 in the Register of Births No. / yng Nghofrestr Genedigaethau Rhif 29 for the above-named Sub-district, and that such Register is now legally in my custody. / yr Is-ddosbarth a enwyd uchod, ac a gedwir yn gyfreithlon gennyf.

Witness my hand this / Tyst wfy o'r hyn sydd dan fy llaw y 22nd day of / dydd o fis July 1998 Menna Williams Superintendent Registrar / Cofrestrydd Arolygol

CAUTION:—It is an offence to falsify a certificate or to make or knowingly use a false certificate or a copy of a false certificate intending it to be accepted as genuine to the prejudice of any person, or to possess a certificate knowing it to be false without lawful authority.

RHYBUDD:—Y mae'n drosedd ffugio tystysgrif neu gwneud neu'n fwriadol i ddefnyddio tystysgrif ffug neu copi o dystysgrif ffug gan fwriadu iddi gael ei derbyn fel un ddilys gan ragfarnu unrhyw berson, neu i fod yn berchen tystysgrif gan wybod ei bod yn ffug heb ganiatâd cyfreithlon.

WARNING: THIS CERTIFICATE IS NOT EVIDENCE OF THE IDENTITY OF THE PERSON PRESENTING IT. RHYBUDD: NID YW'R DYSTYSGRIF HON YN DYSTIOLAETH O ADNABYDDIAETH Y SAWL SY'N EI CH'

3b

CERTIFIED COPY of an ENTRY OF BIRTH
COPI DILYS O GOFNOD GENEDIGAETH
Pursuant to the Births and Deaths Registration Act 1953

Registration District / Dosbarth Cofrestru: Carnarvon

1884 BIRTH in the Sub-district of / GENEDIGAETH yn Is-ddosbarth: Llandwrog in the / yn County of Carnarvon

No. / Rhif	When and where born / Pryd a lle y ganwyd	Name, if any / Enw os oes un	Sex / Rhyw	Name, and surname of father / Enw a chyfenw'r tad	Name, surname, and maiden surname of mother / Enw, cyfenw a chyfenw morwynol y fam	Occupation of father / Gwaith y tad	Signature, description, and residence of informant / Llofnod, disgrifiad a chyfeiriad yr hysbysydd	When registered / Pryd y cofrestrwyd	Signature of registrar / Llofnod y cofrestrydd	Name entered after registration / Enw a gofnodwyd wedi'r cofrestru
456	Sixth March 1884 Rhiwafon Parish of Llanllyfni	Robert Williams	Boy	Robert Parry	Jane Parry formerly Hughes	Slate Shipper	Robert Parry Father Rhiwafon Llanllyfni	Second April 1884	Daniel Thomas Registrar	

I, / Yr wyf, Menna Williams Superintendent Registrar for the District of / Cofrestrydd Arolygol Dosbarth Caernarfon in the / yn County of Gwynedd do hereby certify that this is a true copy of the entry No. / yn tystio yma fod hyn yn gopi cywir o gofnod Rhif 456 in the Register of Births No. / yng Nghofrestr Genedigaethau Rhif 29 for the above-named Sub-district, and that such Register is now legally in my custody. / yr Is-ddosbarth a enwyd uchod, ac a gedwir yn gyfreithlon gennyf.

Witness my hand this / Tyst wfy o'r hyn sydd dan fy llaw y 22nd day of / dydd o fis July 1998 Menna Williams Superintendent Registrar / Cofrestrydd Arolygol

CAUTION:—It is an offence to falsify a certificate or to make or knowingly use a false certificate or a copy of a false certificate intending it to be accepted as genuine to the prejudice of any person, or to possess a certificate knowing it to be false without lawful authority.

RHYBUDD:—Y mae'n drosedd ffugio tystysgrif neu gwneud neu'n fwriadol i ddefnyddio tystysgrif ffug neu copi o dystysgrif ffug gan fwriadu iddi gael ei derbyn fel un ddilys gan ragfarnu unrhyw berson, neu i fod yn berchen tystysgrif gan wybod ei bod yn ffug heb ganiatâd cyfreithlon.

WARNING: THIS CERTIFICATE IS NOT EVIDENCE OF THE IDENTITY OF THE PERSON PRESENTING IT. RHYBUDD: NID YW'R DYSTYSGRIF HON YN DYSTIOLAETH O ADNABYDDIAETH Y SAWL SY'N EI CH'

3 a/b. Fe gofrestrwyd genedigaeth Williams Parry ddwywaith: y tro cyntaf, ar 18 Mawrth, 1884, a'r ail dro, ar 2 Ebrill, 1884. Y chweched o Fawrth, 1884, yw'r dyddiad geni yn y ddau gofnod, a'i dad, Robert Parry, a roes wybodaeth i'r cofrestrydd ar y ddau achlysur. 'Madoc View', Tal-y-sarn, a roir yn fan yr enedigaeth yn y cofrestriad cyntaf, ond Rhiwafon, Tal-y-sarn, yn yr ail. Fe achosodd y cofnodi dwbl hwn beth dryswch. Er enghraifft, yn yr ysgrif ar R. Williams Parry gan Thomas Parry yn *Y Bywgraffiadur Cymreig* 1951-1970 fe ddywedir mai ym Madog View y ganed y bardd, ond yn y 'Bywgraffiad Byr' yn *Gwŷr Llên*, Gol. Aneirin Talfan Davies, fe ddywed Williams Parry ei hun yn blwmp ac yn blaen mai yn Rhiwafon y ganed ef. Mae'n anodd cynnig esboniad boddhaol ar y cofnodi dwbl unigryw hwn.

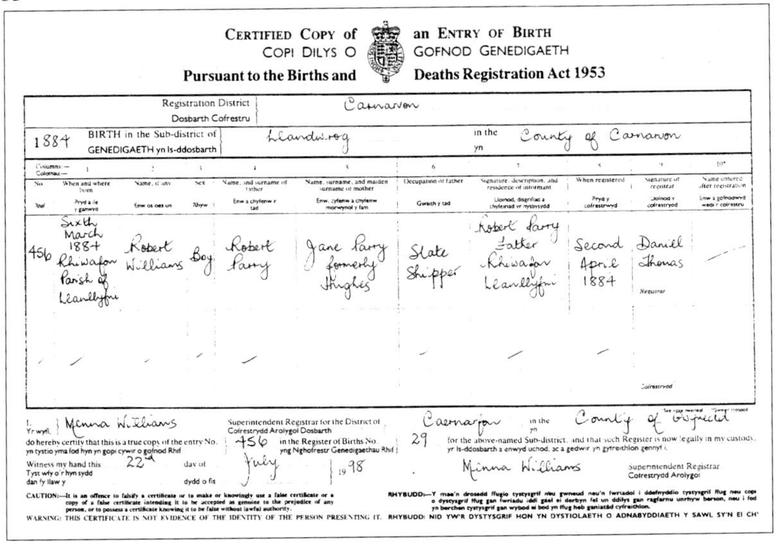

Pedwerydd plentyn y briodas oedd Williams Parry, a'r unig fachgen. Yr oedd ganddo dair chwaer hŷn, sef Jane Elizabeth (1874-1886), Kate (1875-1955), a Dorothy (Dora) (1881-1950), ac un chwaer iau, sef Ann (Nancy) (1885-1977).

4. Robert Parry (1847-1924), tad R. Williams Parry. Brodor o bentref chwarelyddol Carmel, ar gwr Dyffryn Nantlle, oedd Robert Parry. Chwarelwyr a thyddynwyr oedd ei hynafiaid.

Priododd Thomas Parry (1815-1888), tad Robert Parry, deirgwaith. Ei fab hynaf o'i briodas gyntaf, gyda Catherine Jones (1815-1848), merch y Garth, Llanwnda, oedd Robert Parry. Yn ôl cofrestr plwyf Llanwnda fe fedyddiwyd Catherine Jones, merch Robert a Mary Jones, y Garth, ar 24 Rhagfyr, 1815, ac fe'i priodwyd hi a Thomas Parry, ar 16 Mai, 1843.

Ail wraig Thomas Parry oedd Mary Jones (1822-1866), y Dafarn Dywyrch, heb fod nepell o bentref Carmel. Plentyn o'r briodas hon oedd Henry Parry-Williams, tad Syr T. H. Parry-Williams, a'i frodyr a'i chwiorydd.

Priododd Thomas Parry am y trydydd tro gyda Mary Roberts (1844-1917). Plentyn cyntaf y briodas hon oedd Richard Edwin Parry, tad Syr Thomas Parry, Richard Parry, a Gruffudd Parry.

Trwy eu taid, Thomas Parry, Carmel, gan hynny, yr oedd R. Williams Parry, T. H. Parry-Williams, a Thomas Parry, yn gefndyr, a'u tadau yn hanner brodyr i'w gilydd.

5. Jane Parry (1849-1932), mam Williams Parry, mae'n bur debyg. Ni wyddys am un llun sicr ohoni. Hi oedd y trydydd o naw plentyn William Hughes, Tu-ucha'r ffordd, ym Mynydd Llanllyfni, a Catherine Hughes o fferm Tynyweirglodd ger Tal-y-sarn. Fe'i ganed ym mhentref Y Fron (Cesarea), plwyf Llandwrog, ar ôl i'r teulu symud yno o Dal-y-sarn, ond fe ddychwelwyd i fyw i Dal-y-sarn ar ôl ychydig amser.

4

5

6

BYWGRAPHIAD

O'R DIWEDDAR

BARCH. WILLIAM HUGHES

TALYSARN, GAN

HUGH MENANDER JONES,

CARMEL, YN NGHYD A

LLINELLAU COFFADWRIAETHOL

GAN

ALAFON.

PENYGROES

GRIFFITH LEWIS, ARGRAPHYDD A LLYFR-RWYMYDD.

7

7. Y Buarthau, ger Talygarnedd ym mhlwyf Llanllyfni, lle cynhaliwyd oedfaon cyntaf y Methodistiaid yn y plwyf.

8. Eglwys Rhedyw Sant, Llanllyfni. Yn yr eglwys hon, ac yntau'n bump ar hugain oed, y priodwyd William Hughes gyda Catherine Hughes, ugain oed, merch fferm Tynyweirglodd, Tal-y-sarn, ar 3 Mawrth, 1843.

Yr oedd William Hughes, eisoes, ac yntau ond yn 22 oed, wedi ei godi'n flaenor yn Salem, capel y Methodistiaid yn Llanllyfni. Ar ôl priodi aeth i fyw i Dal-y-sarn. Dechreuodd bregethu ym 1846, ac fe'i hordeiniwyd yn weinidog ym 1859, gan ddal i weithio yn y chwarel. Ym 1866, dan ei arweiniad ef, fe ymadawodd trigain o aelodau o gapel Tal-y-sarn, i sefydlu achos newydd, sef Hyfrydle, ym mhen arall pentref Tal-y-sarn. 'Roedd yn arweinydd yn ogystal ym myd addysg yn y Dyffryn.

6. Wyneb-ddalen cofiant y Parchedig William Hughes (1818-1879), taid R. Williams Parry, gan H. Menander Jones o Garmel.
Mab Tu-ucha'r ffordd ym Mynydd Llanllyfni oedd William Hughes, a'i daid, William Dafydd, Tu-ucha'r ffordd, yn un o'r pedwar a sefydlodd achos cyntaf y Methodistiaid ym mhlwyf Llanllyfni – yn y Buarthau, ger Talgarnedd, tua 1766.

Yr oedd elfen flaengar yn William Hughes y taid o'r dechrau:

'Dechreuodd [William Hughes] weithio yn chwarel Cloddfa'r Lôn ac yna, ac yntau'n ddwy ar bymtheg oed, aeth i Gaer – cerdded bob cam, bwrw cyfnod mewn ysgol yno, a dysgu Saesneg. Canlyniad hyn oedd cael lle'n *slate inspector* yng Nghloddfa'r Lôn yn ddyn ifanc iawn a'i ddyrchafu wedyn yn gyfrifydd y gwaith.'

R. Williams Parry: Dawn Dweud, Bedwyr Lewis Jones (1997)

8

9

9.   Capel Hyfrydle, dafliad carreg o Riwafon, cartref Williams Parry.

'Tachwedd 4, 1866, y sefydlwyd eglwys yma. Y Parch William Hughes a flaenorai gyda'r gwaith, megys mai efe oedd y prif ysgogydd gyda mudiadau crefyddol ac addysgol yn yr ardal yn gyffredinol.'

Hanes Methodistiaeth Arfon. Dosbarth Clynnog, W. Hobley

Yn blentyn, yr oedd Williams Parry yn amlwg yng ngweithgareddau capel Hyfrydle:

'Ac mae tystiolaeth gyson amdano yn adroddiadau'r papurau lleol am Gymanfa Ysgolion Sabothol a Blodau'r Oes Hyfrydle Tal-y-sarn, Tan-rallt, a Baladeulyn, mis Ebrill: R. W. Parry, Hyfrydle, yn ennill am ateb gofyniadau ar ran gyntaf yr *Hyfforddwr:* Robert W. Parry, Hyfrydle, yn gyntaf yn yr arholiad ysgrifenedig.'

R. Williams Parry: Dawn Dweud, Bedwyr Lewis Jones

Codwyd Robert Parry, tad R. Williams Parry, yn flaenor yn Hyfrydle ym 1918.

10.   Lithograff gan C. Haghe o ddau lyn Nantlle a'r Wyddfa, 1854: golygfa wledig, ramantus, ar wahân i'r chwarel sy'n ymwthio i ochr chwith y darlun. Fe orlifodd y llyn isaf i chwarel Dorothea ym 1884, ac ym 1893 fe ddechreuwyd ei sychu.

Cyn dechrau datblygu'r chwareli yn chwarter olaf y ddeunawfed ganrif, dyffryn gwledig, diarffordd, prin ei boblogaeth oedd Dyffryn Nantlle, a'i ddau blwyf, Llanllyfni a Llandwrog. Ond fe drawsnewidiwyd wyneb yr ardal ar fyr dro gan dyllau a thomennydd rwbel y diwydiant llechi. Cynyddodd y boblogaeth yn gyflym, a chrewyd pentrefi newydd ar lawr y dyffryn – Tal-y-sarn,

10

Nantlle, a Phen-y-groes; a Charmel a Cesarea, a Nebo a Nazareth ar y llethrau, a chwyddodd poblogaeth hen bentref Llanllyfni. Yn yr un cyfnod fe lifodd llanw ymneilltuaeth i Ddyffryn Nantlle, ac o amgylch y capeli fe ddatblygodd cymdeithas fywiog, ddiwylliedig, yn y dyffryn.

Fe anwyd Williams Parry pan oedd y chwyldroadau hyn ar eu hanterth. Ni hoffai'r rhamantydd ynddo y newidiadau a ddaethai yn eu sgîl.

Dyffryn Nantlle Ddoe a Heddiw

Ymwelydd

'Does ond un llyn ym Maladeulyn mwy;
A beth a ddaeth o'r ddâr oedd ar y ddôl?

Brodor

Daeth dau wareiddiad newydd i'n dau blwy:
Ac ni ddaw Lleu i Ddyffryn Nantlleu'n ôl.

Ymwelydd

Pwy'r rhain sy'n disgyn hyd ysgolion cul
Dros erchyll drothwy chwarel Dorothea?

Brodor

Y maent yr un mor selog ar y Sul
Yn Saron, Nasareth a Cesarea.

Ymwelydd

A glywsant hanes Math yn diwyd weu
Deunydd breuddwydion yn y bröydd hyn?
A glywsant hanes Gwydion yntau'n creu
Dyn o aderyn yma rhwng dau lyn?

Brodor

Clywsant am ferch a wnaeth o flodau'r banadl
Heb fawr gydwybod ganddi, dim ond anadl.

11

12

13

11.   Gorsaf Tal-y-sarn, a agorwyd ym 1872. Ar y chwith i'r trên fe welir wagenni llechi o'r chwareli. Yn yr orsaf hon y gweithiai tad Williams Parry, yn arolygu trosglwyddo llechi chwarel Dorothea i wagenni mawr y rheilffordd.

Ym mhen draw y rhes dai ar ochr chwith y llun yr oedd (ac y mae) Rhiwafon.

12.   Golwg arall ar stesion Tal-y-sarn, gan edrych i gyfeiriad Mynydd y Cilgwyn, a Charmel.

13.   Gweithwyr yng ngorsaf Tal-y-sarn – gweision y rheilffordd, a llwythwyr o'r chwareli. Yr ail o'r dde yw Morris Hughes. Ef a olynodd dad Williams Parry yn oruchwyliwr llwytho llechi dros chwarel Dorothea yn yr orsaf.

Cyfeiria Williams Parry at waith ei dad yn y stesion mewn llythyr, dyddiedig 23 Mawrth, 1949, at Ellis D. Jones, a fu'n ysgolfeistr Glyndyfrdwy, a'i wraig:

'Diolch yn fawr ichwi am eich llongyfarchion imi ar gyrraedd fy mhen blwydd yn bump a thrigain. Yn anffodus, ni wna wahaniaeth o gwbl i swm fy mhensiwn: ond caf bensiwn henoed pan/os cyrhaeddaf oed yr addewid. Ond *what hopes*! Byddaf yn meddwl yn aml am fy nhad druan yn dal ati i gyfri' llechi Dorothea ymhob tywydd nes cyrraedd 70! Ond yr oedd ganddo ef fwy o *guts* o lawer nag y sydd gan ei fab.'

14

15

14. Ardal Pen-yr-yrfa, Tal-y-sarn, ac injan Cloddfa'r Coed, a'r hen briffordd i Nantlle a Rhyd-ddu, yn chwarter olaf y ganrif ddiwethaf.

15. Rhan o bentref Tal-y-sarn yn gynnar yn y ganrif hon. Ar y chwith gwelir y Caffi – sef 'gwesty dirwestol' a llyfrgell, a godwyd ym 1901 ar gyfer pobl ifanc y pentref. Ym mhen y rhes yr oedd siop bapurau newydd Cloth Hall, cartref Gwilym R. Jones, a thu draw iddi, ceir cipolwg ar Salem, capel newydd y Bedyddwyr. Capel Mawr y Methodistiaid sydd ar godiad tir yng nghanol y llun. Dros y ffordd, ar y dde, mae'r Tabernacl, capel a godwyd gan y Bedyddwyr ym 1863, ac a werthwyd i'r Wesleaid. Ar dde y llun, gwelir 'run' fechan o dair wagen, gyda'u llwyth o lechi toi, ar eu ffordd o'r chwarel i orsaf Tal-y-sarn.

16

17

17. Hen gapel John Jones, Tal-y-sarn, a godwyd ym 1821, a'r siop a gedwid gan Fanny, ei wraig.

18. Ystafell ymarfer y 'Nantlle Vale Royal Silver Band' yn Nhal-y-sarn.

'Pan fegais i ddigon o hyfdra i fynd i'r caffi fy hun, i weld dynion y pentre'n chwarae biliards, byddai Williams Parry yn eu mysg. Gwisgai siwt las â streipiau drwyddi, hances wen lân allan o boced ei frest, crys gwyn fel yr eira, esgidiau swêd a gwadnau crêp ("'sgidia' dal adar," oedden ni'r plant yn eu galw), a 'pince-nez' o sbectol bryd hynny, os cofiaf yn iawn.'

Prifardd y Dyffryn – R. Williams Parry
(Darlith Flynyddol Llyfrgell Pen-y-groes, 1973-1974),
Hywel D. Roberts

16. Y Capel Mawr, Tal-y-sarn, a adeiladwyd ym 1877. Hwn oedd yr ail gapel ar y safle, a thrydydd capel y Methodistiaid yn Nhal-y-sarn. Claddwyd y capel cyntaf, hen gapel y Parchedig John Jones, Tal-y-sarn, gan y tomennydd rwbel.

18

19

20

19. ' Rhan uchaf twll chwarel Dorothea.

'Pwy'r rhain sy'n disgyn hyd ysgolion cul
Dros erchyll drothwy chwarel Dorothea?'

'Dyffryn Nantlle Ddoe a Heddiw', *Cerddi'r Gaeaf*

20. Tu mewn i sied chwarel Dorothea. Gwelir llechfeini o'r graig ar eu ffordd i'w llifio.

21. Dau chwarelwr yn gweithio llechi yn yr hen ddull: ar y dde yr holltwr gyda'i gŷn manhollt a'i ordd bren yn hollti 'clwt', ac ar y chwith y naddwr gyda'i gyllell naddu a'i bric mesur, yn eistedd ar bren y drafael.

22. Stryd ym Mhen-y-groes (filltir o Dal-y-sarn), prif bentref Dyffryn Nantlle, tua dauddegau'r ganrif hon.

21

22

Penygroes

'Dyma ganolbwynt masnach a thrafnidiaeth y dyffryn, gan ei fod yn sefyll yn ganolog, ac yn meddu ar ei farchnadfa, ei *railway station*, a lluaws o fanteision neillduol ereill. Mae yn y lle hwn dri o addoldai gan y Methodistiaid, yr Annibynwyr, a'r Wesleyaid, ac amryw o fasnachdai llwyddiannus, yn neillduol yr eiddo Mr. O. Roberts, yr hwn sydd yn un o'r masnachdai mwyaf golygus yn y wlad. Mae yma hefyd amryw o westai, y rhai penaf ydynt y Stag's Head, y Goat, y Prince of Wales, a'r Victoria Vaults. Yma hefyd y ceir siop lyfrau, ac argraffdy, y rhai a gedwir gan Mr. Griffith Lewis.'

Hynafiaethau, Cofiannau a Hanesion Presennol Nant Nantlle,
y Parch. W. R. Ambrose, Tal-y-sarn (1872)

23a

23 a/b. 'The Holiday Painting Book' a dderbyniodd Robert
Williams Parry yn chwech oed am ddod i'r ysgol yn gyson heb golli.
Yn bump a hanner, yn Awst 1889, yr oedd Williams Parry wedi
dechrau yn Ysgol y Babanod, Tal-y-sarn. Dengys y geiriau:
'Presented to Robert Williams Parry for Regular Attendance' mor
drwyadl Saesneg oedd yr addysg ym mhentref uniaith Gymraeg
Tal-y-sarn, fel ym mhobman arall, yn y cyfnod hwnnw.
    Yn Awst 1931, ymddangosodd cerdd 'Yn y Bebis' yn *Y Ford Gron*,
gyda 'W.P' dani. Credir mai Williams Parry oedd yr awdur.
Disgrifia ddryswch plentyn bach o Gymro yn gorfod adrodd
Gweddi'r Arglwydd mewn iaith a oedd yn annealladwy iddo.

23b

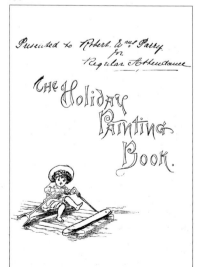

Yn y Bebis

Ni wyddwn i fod ffwtbol
    Yn rhan o'r nefol drefn,
Nes clywed yn yr ysgol
    Am un *'which charge in heaven'*.
'Roedd hwnnw'n ôl yr hanes
    Yn gwthio ar hyd y gêm,
A dwedai yr athrawes
    Mai *'Harold be thy name'*.

24

25

24. William Meiwyn Jones (1867-1941), prifathro Williams Parry yn Ysgol Gynradd y Bechgyn, Tal-y-sarn. Brodor o Benrhyndeudraeth, Meirionnydd, ydoedd. Fe'i penodwyd yn brifathro Tal-y-sarn yn 23 oed, ar 5 Ionawr, 1891, a bu yn y swydd am ddeugain mlynedd, nes ymddeol ar 30 Hydref, 1931.

Yn ôl ei wyres, y ddiweddar Mrs Mair Small, yn yr ysgol gynradd ym Mhenrhyndeudraeth y cafodd ei enw canol, oherwydd bod pum William Jones yn digwydd bod yn yr ysgol. Fe'i derbyniwyd i'r Orsedd trwy arholiad yn Eisteddfod Genedlaethol Blaenau Ffestiniog, 1898, wrth yr enw Meiwyn, ac Elfed a Iolo Caernarfon yn arholwyr.

25. Plant Ysgol y Bechgyn, Tal-y-sarn, tua 1892. R. Williams Parry yw'r ail o'r chwith yn yr ail res, â'i freichiau ymhleth.

26

27

26. Ffermdy Hendrecennin yn Eifionydd.

'Câi Bob a'i chwaer iau, Nancy, fynd i aros at Fodryb Ann, cyfnither y fam, i ffarm Hendrecennin, lle mae'r Lôn Goed yn gorffen, yn Eifionydd. 'Roedd Modryb Ann yn dipyn o ffefryn a'r daith fer ar eu pennau eu hunain ar y trên i stesion Pant-glas, i gyrraedd Hendrecennin yn antur. Pwy a ŵyr nad yr ymweliadau cynnar hyn oedd cychwyn y dynfa o'r dyffryn diwydiannol i ryddid a heddwch Eifionydd?'

R. Williams Parry: Dawn Dweud, Bedwyr Lewis Jones

27. Ann Williams, Modryb Ann y bardd, a Kate ei chwaer, cyfnitherod mam Williams Parry, yn sefyll o flaen Hendrecennin. Merch fferm Tynyweirglodd, Tal-y-sarn, oedd Dorothy, mam Ann Williams a Kate Roberts, ac 'roedd hi'n chwaer i Catherine, mam Jane Parry, mam R. Williams Parry. Fe briodasai Dorothy gyda Robert Roberts, Hendrecennin.

28. Ellis Williams (1900-1997), Hendrecennin, mab 'Modryb Ann', Williams Parry, a chyfyrder y bardd: llun a dynnwyd ohono yn 95 oed ym 1995. 'Roedd ganddo atgofion diddorol am ymweliadau Williams Parry â'i gartref:

'Mi 'rydw i'n ei gofio fo yn dwad hefo'i gariad. Dwad i fyny o stesion 'R Ynys. Dwad i'r Hendra a chael te hefo mam . . . yr hogan honno briododd o.'

Gan fod stesion yr Ynys a Hendrecennin ger y Lôn Goed, mae'n debyg mai ar hyd y lôn honno y daeth Williams Parry â'i 'enaid hoff cytûn', sef Myfanwy ei gariad, i Hendrecennin. Ym 1924 y cyfansoddwyd y gerdd 'Eifionydd', flwyddyn ar ôl ei briodas.

Fe wyddai Ellis Williams y dôi ei gyfyrder o Dal-y-sarn i Hendrecennin cyn ei amser ef:

'Ei dad a'i fam oedd yn dwad acw. Yntau'n dwad hefo nhw yn hogyn bach. Negas ei dad a'i fam o oedd ordro pot o fenyn at y gaeaf, pot rhyw ddeg pwys ar higian.'

Dyfyniadau o sgwrs gydag Ellis Williams yn haf 1995

29.   Jane Williams, modryb Williams Parry o gyfnither ei fam, a'i gyfyrdyr a'i gyfyrdyresau, a'i ewythr trwy briodas, y Parchedig William Williams (Einion), Rhostryfan.

Yr oedd Jane Williams yn ferch Ann Williams, Dolwenith, Llanllyfni, a oedd yn chwaer i'r Parchedig William Hughes. Bu John Llywelyn Williams, mab William a Jane Williams, yn cyd-letya gyda'i gyfyrder Williams Parry yng Ngholeg Bangor, ac yn gyd-athro gydag ef yn Ysgol Ganolraddol, Caerdydd.

Mab i frawd Einion oedd Robert Einion Williams, y canodd Williams Parry englynion coffa iddo (*Yr Haf a Cherddi Eraill* XLV).

Ceir englyn coffa gan R. Williams Parry ar garreg fedd Einion, a fu farw ym 1913, ym mynwent capel Salem, Llanllyfni:

Ym mynwes ddi-nam Einion – priodwyd
Y prydydd a'r Cristion;
Gwenai'n lleddf uwch gwanwyn llon,
Wylai uwch annuwiolion.

28

29

30

31

30.   Y llechen ar fur gwesty Caer Menai, Ffordd yr Eglwys, Caernarfon, i nodi safle hen Ysgol Sir Caernarfon, yr ysgol 'ganolraddol' gyntaf yng Nghymru. Fe'i hagorwyd yn Chwefror, 1894, yn hen adeilad Coleg Mair, coleg hyfforddi, oedd â'i gefn ar hen furiau'r dref.

Aeth Williams Parry i'r ysgol hon ym mis Medi 1896, yn ddeuddeg oed, ar ôl ennill ysgoloriaeth o Ysgol Gynradd Tal-y-sarn. Rhoid mawr bwys ar lwyddo'n academaidd yn Ysgol Sir Caernarfon, ac enillai'r disgyblion ysgoloriaethau i Fangor, a Rhydychen, a Chaergrawnt. Ysgol Seisnig ac estronol ei hawyrgylch oedd hi, ond trwyddi hi y daeth Williams Parry i adnabod ei ddau gyfaill, Idwal Jones o Ben-y-groes, a J. J. Williams o Lanrug. Un o ddisgyblion hynaf yr ysgol yng nghyfnod Williams Parry oedd W. J. Gruffydd.

'Dyna ni felly wedi ein symud o'r wlad i'r dref. Er bod bywyd y dref yn eithaf Cymreig, eto yr oedd ynddo elfennau eraill. Daethai dylifiad o blant y wlad i gyd-ddysgu a chyd-chwarae â phlant y dref, meibion i siopwyr, twrneiod a meddygon, dynion trwsiadus a wisgai hetiau llwyd a chôt gynffon fain, ynghyda mwstás trwm a locsus bychain ar bob cern, ac a rodiai megis duwiau trwy'r heolydd.'

Atgofion H. Parry Jones am hen Ysgol Sir Caernarfon yn *Y Llenor*, 1955 – *Cyfrol Goffa William John Gruffydd*

CARNARVON COUNTY SCHOOL.

R W Parry

Summer TERM, 18*98*

IV Form

III Mathematical Class.

SUBJECTS.	No. IN CLASS.	ORDER IN TERM	ORDER IN EXAM.	REMARKS.
Scripture	15	3		good wrk.
Latin	13	6	*not yet received*	very fair wrk
Greek				
French	15	8		very fair J.delG.
German				
Drawing	15			Good E.H.
Mathematics: Arithmetic	15	6	*exam order*	Good. E.H.
Algebra	14	5		} good gro
Euclid	14	8		
Trigonometry				
English	15	8		Very fair. E.J.
History	15	7		satisfactory E.W.Y.
Geography	15	2		Very fair - sometimes good. E.J.
Science	15	13		Fair - T.C.W

Conduct, good

Next term begins Sept 20th

J Trevor Owen, Headmaster.

31.   Adroddiad ar waith Williams Parry yn ei dymor olaf yn y Carnarvon County School, ar ôl iddo fod yn yr ysgol am ddwy flynedd.

'I ganol yr awyrgylch academaidd yma y bwriwyd Williams Parry . . . Nid yw ef ei hun wedi sôn yn unman am gyfnod Caernarfon, ond mae ei adroddiadau pen tymor ar gael ac mae'r rheini yn dweud rhywfaint wrthym. Maent yn tystio'n groyw ddigon mai disgybl canolig ydoedd.'

R. Williams Parry: Dawn Dweud, Bedwyr Lewis Jones

32.   Tystysgrif yr 'Oxford Local' a enillodd Williams Parry ym 1898.

33.   Y 'Penygroes County Intermediate School' yn Nyffryn Nantlle. Symudodd R. Williams Parry o Ysgol Sir Caernarfon i'r ysgol newydd hon, nad oedd ond cwta filltir o'i gartref, pan agorwyd hi ym mis Medi 1898.
Dyma rai o atgofion Tudur Roberts o Lanllyfni am ei gyd-ddisgybl a'i ffrind, R. Williams Parry, yn Ysgol Sir Pen-y-groes:

'O ran ei berson allanol yr oedd yn fachgen ysgafn-droed sionc a hoyw, braidd yn eiddil o gorff, a'i ben wedi ei orchuddio â thrwch o wallt crychlyd gwinau. Yr oedd yn chwim iawn ar ei droed a medrai yn rhwydd guro pob un yn yr ysgol ar redeg râs [sic]. Byddai yn arfer gan fechgyn Tal-y-sarn y pryd hynny redeg râs [sic] i'w cartrefi i gael cinio a Williams Parry a fyddai'r cyntaf bob tro. Ni chymerai ran amlwg yn chwaraeon yr ysgol, gwell fyddai ganddo dreulio ei amser yng nghwmni dau neu dri o'i gyfeillion mynwesol ei hun. Eto yr oedd yn hynod boblogaidd gyda'r bechgyn a'r athrawon a byddai gwên siriol ar ei wyneb bob amser. Yn y dosbarthiadau tueddai i synfyfyrio, ac weithiau, i bob ymddangosiad, i anghofio y wers a'i amgylchedd . . . Yr oedd rhyw anwyldeb yn ei gymeriad yn gwneud i bob athro a disgybl ei hoffi.'

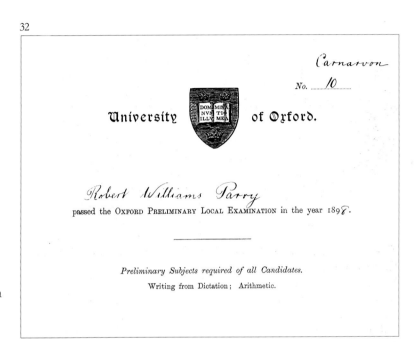

32

33

Ei hoff awduron oedd Henty a Ballantyne, ac yn enwedig straeon W. W. Jacobs. Medrai adrodd y rhan fwyaf o straeon Jacobs bron air am air wedi eu trosi i'r Gymraeg, a phob amser y byddai yn gwneud hynny câi gynulleidfa astud . . . Yr oedd yn eithriadol o ofnus yn y nos ac nid o'i fodd yr âi allan ei hunan wedi iddi dywyllu. Yr oedd "ystori ysbryd" yn ei gynhyrfu i waelodion ei fod ac ni châi ronyn o gwsg y noson wedi iddo ei chlywed.'

Dyfyniad o ysgrif Tudur Roberts:
'Y Dr R. Williams Parry, Dyddiau Ysgol',
yn *Yr Eryr*, 1956, Cylchgrawn Ysgol Dyffryn Nantlle

34.

34. Rhan o gofrestr gyntaf Ysgol Sir Pen-y-groes – tymor y Nadolig, 1898. Yr oedd 95 o ddisgyblion yn yr ysgol, 60 o fechgyn a 35 o enethod. Yn ogystal ag enw Robert Williams Parry, fe welir enwau dau a fu'n gyfeillion iddo drwy gydol ei oes: Tudur Roberts o Lanllyfni, a ddaeth yn brifathro Ysgol Nantlle, ac Idwal Jones o Ben-y-groes.

PENYGROES COUNTY SCHOOL.

Michaelmas Term, 1898

Report of Robert Williams Parry   Form IV

SUBJECTS OF EXAMINATION. (Maximum No. of marks for each paper is 100).	MARKS OBTAINED	PLACE IN CLASS.	No. OF PUPILS IN CLASS.	REMARKS.
SCRIPTURE	84	2	13	Very good.
ENGLISH HISTORY	63	3	13	Good. Appears to enjoy his work.
GEOGRAPHY	86	3	13	Good
ENGLISH GRAMMAR	67	1	13	Very good.
ENGLISH COMPOSITION	60	5	13	Good – is improving..
ENGLISH LITERATURE	78	2	13	Good – shews intelligence.
LATIN GRAMMAR	43	2	4	Weak.
LATIN PROSE				
LATIN TRANSLATION	81	2	11	Good – works well.
GREEK				
FRENCH GRAMMAR	88	1	11	Very Good
FRENCH TRANSLATION				
WELSH	69	3	12	Very good.
ARITHMETIC	82	2	13	Very good.
ALGEBRA	45	2	13	Fair. Ought to have done better
EUCLID	78	3	13	Very good.
TRIGONOMETRY				
SCIENCE	54	9	13	Fair.
DRAWING	94	6	20	Very Good
NEEDLEWORK				
DOMESTIC ECONOMY				
TERM'S MARKS				
MAXIMUM				

Conduct is Good. Works well, but is far too talkative in class.

Next Term begins Tuesday January 10th 1899

D.R.O. Prytherch Headmaster.

36

> 33   The attendance is satisfactory. A young man was appointed for the post of Certif Assistant but wrote saying he could not come The Board decided to re-advertise
>
> The Monitor Robert Williams Parry has commenced duties
>
> March 1 No school being St David's Day.

37

35. Adroddiad ysgol Williams Parry ar ddiwedd ei dymor cyntaf (sef Tymor y Nadolig, 1898) yn Ysgol Sir Pen-y-groes: 'roedd yn gyntaf, ail, neu drydydd mewn deuddeg pwnc o'r pymtheg, ac yn hapusach disgybl yn ddiau, mewn ysgol yn ei gynefin nag ydoedd yn ysgol y dref. Arwydd bod awyrgylch beth yn wahanol yn Ysgol Sir Pen-y-groes oedd bod Cymraeg, o leiaf, yn bwnc yn ysgol Pen-y-groes.

36. Rhan o lyfr lòg Ysgol Tal-y-sarn, a'r prifathro, William Meiwyn Jones, yn cofnodi, ar 23 Chwefror, 1899, fod Robert Williams Parry yn dechrau ar ei waith fel disgybl-athro – 'monitor': 'The Monitor Robert Williams Parry has commenced duties'.

    Yr oedd o fewn pythefnos i'w ben-blwydd yn bymtheg oed, ac wedi ymadael o Ysgol Sir Pen-y-groes ar ôl dim ond tymor a phythefnos yno.

37. Llun cynnar o Robert Williams Parry. Dan y llun fe ysgrifennodd Myfanwy Williams Parry: 'Bob yn ifanc'.

    '. . . y mae'n anodd credu fy mod yn cofio amdano flynyddoedd lawer yn ôl yn ymweld â ni gartref o dro i dro, yn llanc nwyfus a direidus, yn canu penillion gan gyfeilio iddo'i hun ar y

38

39

piano, yn 'enaid' y cwmni wrth y bwrdd bwyd, yn gwneud campau acrobatig ar ei feic. Yr oeddwn innau'n gallu cymryd rhan a chyfran gydag ef ym mhopeth, er fy mod yn iau nag ef. Ond un tro mi deimlais fy mychander yn aruthr: mi glywn y llanc yn trafod cynganeddion gyda'm tad, a minnau heb fod yn gwybod beth ydoedd cynganeddu, hyd yn oed. Nid oeddwn i'n perthyn i'r cwmni o ddau y tro hwnnw.'

O ysgrif goffa T. H. Parry-Williams i R. Williams Parry
yn *Y Cymro*, 12 Ionawr, 1956; ailgyhoeddwyd dan y teitl
'Colli Robert Williams Parry' yn *Myfyrdodau* (1957)

38. Robert Williams Parry gyda dosbarth yn Ysgol Tal-y-sarn.

39.   Athrawon Ysgol Tal-y-sarn, 1899-1902. Saif Williams Parry, a oedd yn ddisgybl-athro, ar y chwith. Mae'n amlwg mai monitor ieuanc yw'r bachgen yn y clos-penglin ar y dde.

40.   Tystysgrif Arholiad Dechreuol am fynediad i Brifysgol Cymru ('Matriculation') R. Williams Parry, Mehefin 1902. Gosodwyd ef yn y dosbarth cyntaf.

40

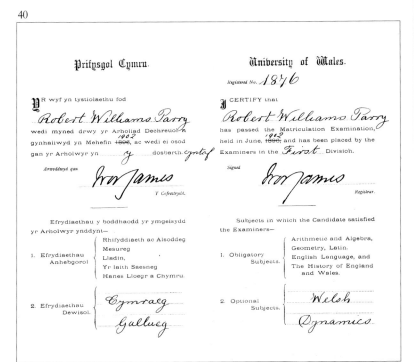

41.   Dyfyniadau eraill o lyfr lòg Ysgol Tal-y-sarn:

June 9 (1902)   R. W. Parry the teacher of Standard ii absent from school having had permission from the Board to study for Welsh Matriculation.

Aug 25 (1902)   Robert Williams Parry left the service of the Board. He, having passed Matriculat. Exam. First Class, intended trying for a Scholarship or Exhibition at Aberystwyth.

Yr oedd â'i wyneb ar gwrs coleg, ar ôl bod yn athro yn ei hen ysgol yn Nhal-y-sarn am dair blynedd a hanner.

42

The most peculiar man.

1. "In SX once there lived a man
who was XCding YY.
So fond of Eting 2 E was,
Yt scarce could Chis YY.

2. "E had no wife, and so UC
E'd no 1 else 2 please.
So E the whole day long did O
But take his blissful EE.

3. When 1 day E came home 2 dine,
It would have made U grin,
2 C how E looked at his food
B4 E did begin.

4. "The cook who thought she would SA
2 CC on all his dinner,
Did not excel in CCing
As she was a B ginner.

5. "So when from Eting E R rose
His face was filled with crecc.
And sad to st8, through what E 8,
E sneezed himself to PCC."

March. 6th /02.

42. Cyfraniad gan R. Williams Parry yn llyfr llofnodion ei chwaer Dora wedi ei ysgrifennu ar ddydd ei ben-blwydd yn ddeunaw oed – yn ystod ei gyfnod yn ddisgybl-athro yn Ysgol Tal-y-sarn.

43. Hywel Cefni yn sefyll o flaen ei siop ddillad, Cefni House, yn Nhal-y-sarn. Yn y rhagair i *Yr Haf a Cherddi Eraill* fe ddiolcha Williams Parry am gymorth dau o Dal-y-sarn pan oedd yn dechrau barddoni: 'Y mae fy nyled yn fawr hefyd i hyfforddiant cynnar Hywel Cefni a'r diweddar Anant . . .'

'Un o Fôn oedd Hywel Evan Jones, 'Hywel Cefni' (1855-1941), un o feibion llengar Druid House, Llangefni. Daeth i Dal-y-sarn rywdro tua 1879 yn dorrwr brethyn. Yn nes ymlaen agorodd ei fusnes dillad dynion ei hun yn Cefni House yn y pentref ac yn 1893 codwyd ef yn flaenor yng Nghapel Mawr y Methodistiaid. 'Roedd yn Rhyddfrydwr selog, yn ŵr digon tebyg ei ddaliadau i Robert Parry, Rhiwafon, ond bod Hywel Cefni yn fawr ei ddiddordeb mewn adrodd, canu, a llenydda. Yr englyn oedd ei hoff fesur. Yn 1921 enillodd ar yr englyn yn yr Eisteddfod Genedlaethol – D. Lloyd George oedd y testun . . .'

'Y llall a fu'n rhoi hyfforddiant iddo oedd Owen Edwards 'Anant' (1856-1918), diacon gyda'r Bedyddwyr a chwarelwr. Enillodd ef ar yr awdl yng Ngŵyl Cadair Dinorwig yn 1909, a John Morris-Jones yn beirniadu, ond englynwr ydoedd yn bennaf . . . Hwn, yn anad neb arall, oedd athro barddol Williams Parry.'

R. Williams Parry: Dawn Dweud, Bedwyr Lewis Jones

44

43

44.   Coleg y Brifysgol, Aberystwyth. Ym 1902 aeth Williams Parry yn fyfyriwr i'r coleg hwn. Ei nod oedd ennill cymhwyster i fod yn athro trwyddedig, nid ennill gradd. Fe grynhodd ei sylwadau ar y ddwy flynedd a dreuliodd yno mewn dwy frawddeg yn y *Bywgraffiad Byr* a sgrifennodd ar gais Aneirin Talfan Davies ym 1948 (gweler *Gwŷr Llên*): '1902-4 Synfyfyriwr yng Ngholeg Aberystwyth. Llwyddo yn arholiadau'r flwyddyn gyntaf ym mhopeth ond Cymraeg.'

Awgryma Bedwyr Lewis Jones yn ei gofiant mai syrffedu ar natur estronol, ddiffaith, y cwrs Cymraeg a wnaeth Williams Parry yn ei flwyddyn gyntaf yn Aberystwyth. Ond llwyddodd yn yr ail flwyddyn, ac erbyn Mehefin 1904 yr oedd ganddo'r cymwysterau priodol i dderbyn tystysgrif athro y Bwrdd Addysg, a gallai chwilio am le mewn ysgol ac ennill cyflog.

45

Name of Institution.	Date of entering.	Date of leaving.
Aberystwyth University College Day Training Department.	1902	1904

Name of School or Institution.
The Council School, Talysarn, Carnarvonshire.
Vaynol Council School, Merthyr, S. Wales.
Blue Coat & Holmer Schools, (Higher Elementary) Hereford City.
The Council Sch., Talysarn.
The County School, Llanberis.
Garman Council School, Merioneth
Parry County School.

45. Treuliodd Williams Parry y tair blynedd 1904-7 yn athro mewn amryw o ysgolion yng Nghymru a Lloegr, cyn ailafael yn ei gwrs coleg ym 1907 ym Mangor. Fe restrodd ef yr ysgolion hyn yn y copi a wnaeth o'i ffurflen gais pan ymgeisiodd am swydd arolygydd ysgolion ar 6 Mehefin, 1914.

46. Cywydd 'The Old Sea-dog', a llun o'r hen forwr, a roes Williams Parry yn albwm ei chwaer Dora ym 1906. Cedwir yr albwm hwn gan ei hwyres, Mrs Gwenfair Aykroyd. Yn y cywydd hwn, ynghyd ag 'Efo'r Sant ar Fore Sul' (1906), a'i gywydd 'Y Bwrdd Biliards' (1906), a'i awdl 'Dechrau Haf' (1907), cawn enghreifftiau o ganu caeth cynnar Williams Parry.

Fe rôi W. Meiwyn Jones, hen brifathro Williams Parry, bwyslais ar wersi tynnu llun yn yr ysgol: 'Commenced Drawing in School' meddai yn llyfr lòg Ysgol Tal-y-sarn ar 12 Ionawr, 1891, wythnos ar ôl dechrau yn ei swydd yn brifathro. 'Roedd Meiwyn Jones ei hun yn dynnwr llun pur dda.

46

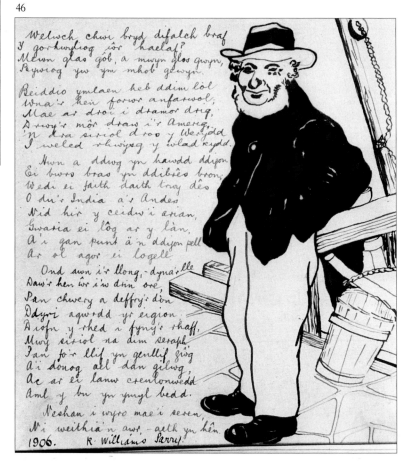

Welwch chwi bryd difalch braf
Y gorhwyliog wr haelaf?
Mewn glas gôb, a mwyn glos gwyn,
Rywiog yw ym mhob gewyn.

Beiddio ymlaen heb ddim lôl
Wna'r hen forwr anfarwol.
Mae ar droi i dramor drig,
Draw'r môr draw i'r Amerig,
'n dra siriol droo y Werydd
I weled rhwysg y wlad rydd.

Hwn a ddwg yn hawdd ddigon
Ei bwrs bras yn ddibris bron;
Wedi ei faith daith trwy dês
O du'r India a'r Andes
Nid hir y ceidw i arian,
Gwaria ei lôg ar y làn,
A'i gan punt â'n ddigon pell
Ar ol agor ei logell.

Ond awn i'r llong, - dyna'r lle
Daw'r hen wr i'w ddin ore,
Pan chwery a deffry'r dôn
Ddyri agwrdd yr eigion.
Diofn y rhed i fyny'r shaff,
Mwy siriol na dim seraph
Pan fo'r llif yn genllif grug
A'i donog ael dan gilwg,
Ac ar ei lanw creulonwedd
Aml y bu yn ymyl bedd.

Neshau i wyro mae'i seren
Ni weithia'n awr, - aeth yn hen.
1906.   R. Williams Parry.

47

47.   Dau o feirdd y Dyffryn, a chyfeillion agos i Williams Parry: John Evan Thomas, ar y chwith, ac Idwal Jones, yn y canol; a'u ffrind Owen Evans – y tri o Ben-y-groes.

Canodd Williams Parry bedwar englyn cyfarch i John Evan Thomas ar achlysur ei briodas â Mary Ivey, Pen-y-groes, ym mis Ebrill 1919. Fe'u cyhoeddwyd yn *Yr Herald Cymraeg*, Ebrill 29, 1919:

Mary deg ym more'i dydd – a gerddodd
    I gwrdd â'i diddanydd;
    Heulog odidog yw dydd
    Ei phriodas â'i phrydydd.

Mae John yn ei ogoniant – yn nwthwn
    Ei neithior a'i nwyfiant;
    Dewch, flagur a fflur, â phlant,
    A chyfeiliwch ei foliant.

Yr adar sy'n llafar gerllaw, – ag acen
    Y gwcw ond gwrandaw,
    Os bu yn drist a distaw
    Heddyw yw y dydd y daw.

Cyfarchwn lawen bennill – i'w hir oes,
    Boed y rhan sy'n weddill
    Yn llawen faes llawn o fill
    A'u llwybr dan friallu Ebrill.

Ar ôl iddo symud o Ben-y-groes yn brifathro Ysgol Penmachno, arferai John Evan Thomas gyfarfod â R. Williams Parry ym Metws-y-coed. Cyfeirir at hynny yn 'Ffeiriau', *Cerddi'r Gaeaf:*

Pan awn i ffair y Betws
  Am seiat efo Siôn,
Fe wyddwn ei fod yntau
  Yn rhywle ar y lôn.
Ni ddaw i'r Betws eto,
  Nac i Benmachno chwaith.
Rhyngddo a hwy mae'r Wyddfa,
  A thragwyddoldeb maith.

Ceir englyn coffa i John Evan Thomas, a fu farw ym 1941, yn *Cerddi'r Gaeaf*, a gwelir esgyll yr englyn hwnnw ar ei garreg fedd ym Mynwent Macpela, Pen-y-groes, ac mae dau englyn coffa i Mary Ivey, ei wraig, yn *Yr Haf a Cherddi Eraill*, XXVIII.

*   *   *

Ar ôl bod ar grwydr yn athro ym Merthyr Tudful a Henffordd, fe ddychwelodd Williams Parry yn Chwefror 1906 i Dal-y-sarn, yn athro yn ei hen ysgol, ac aros yno hyd Hydref 1907.

'Erbyn hynny 'roedd yr awdur yn ôl yn ei gynefin, yn athro yn Nhal-y-sarn, ac felly'n cael cyfle i gwmnïa â beirdd y Dyffryn, â Hywel Cefni ac Anant, wrth reswm, ac eraill iau hefyd, fel Gwallter Llyfnwy, G. W. Francis, Idwal Jones, y criw a gyhoeddai eu cerddi yn *Y Sylwedydd* [papur newydd byrhoedlog Dyffryn Nantlle]. Yn y gwmnïaeth yma fe'i swcrwyd i feddwl am rywbeth mwy uchelgeisiol na chywydd a chyfres o englynion; 'roedd yn hen bryd iddo roi cynnig ar awdl a chystadlu am gadair.'

    R. Williams Parry: Dawn Dweud, Bedwyr Lewis Jones

48

> ### *Dyfyniad o'r awdl 'Dechreu Haf'*
>
> Pan, ar dro, y darffo dydd
>   Ar aur oror y Werydd,
> Cwyd y llangc: ac wedi lludd – y diwrnod,
> Daw i gyfarfod â'i guaf Forfudd:
>   Ym min hwyr, dwg cwmni hon
>   Ddifyr, ddedwydd freuddwydion.
>
> Swyngar hâf sy'n ei gryd – ar riniog
>   Arianaidd ei febyd;
>   Dwg in' wawl, deg anwylyd, –
>   "O! na fyddai'n hâf o hyd!"

48.   Yn Rhagfyr 1906 fe ymgeisiodd Williams Parry am ei gadair gyntaf, yn Eisteddfod Flynyddol Annibynwyr Ffestiniog. Y testun oedd 'Dechreu Haf'. Yn ôl beirniadaeth Dyfnallt, awdl *Gorwel Gwyn*, sef Williams Parry, oedd yr orau, ond oherwydd iddi gyrraedd y beirniad yn rhy hwyr, ni chafodd y gadair.

Erbyn 1907 fe deimlai Williams Parry yn ddigon hyderus i gynnig am y Gadair yn yr Eisteddfod Genedlaethol, ac anfonodd awdl i Eisteddfod Genedlaethol Abertawe, 1907. Prin fod y testun, 'John Bunyan', yn apelio llawer ato, a thua chanol rhestr yr ymgeiswyr y gosodwyd ef. Blas y bedwaredd ganrif ar bymtheg oedd ar deitl yr awdl, a lliw y ganrif honno sydd ar yr awdl ei hun:

    Awen fwyn, dywed, o'th fodd – am gyflwr
    Hil y damegwr – pa wlad a'i magodd?
    Dyro fedr i fyw adrodd – ei eni –
    Y math o rieni a'i meithrinodd.

49

50

51

49.   Williams Parry yr actor, yn ei esgidiau gwynion, yn aelod o Gwmni Drama Tal-y-sarn. 'Roedd mynd mawr ar y ddrama yn Nyffryn Nantlle yn y blynyddoedd cyn y Rhyfel Mawr. Prif hyrwyddwr y ddrama yn y pentref oedd Frederick Davies (1866-1922), gwrthrych cerdd Williams Parry: 'Dramodydd a Nofelydd' (*Yr Haf a Cherddi Eraill*, XXX). Yr oedd yn awdur ac yn gynhyrchydd dramâu, ac yn nofelydd.

50.   Llun arall o actorion Cwmni Drama Tal-y-sarn, a Williams Parry yn eu plith.

51.   Cartref cyntaf Coleg Prifysgol Gogledd Cymru, Bangor, sef hen westy'r Penrhyn Arms, ger Porth Penrhyn. Agorwyd y coleg ar 18 Hydref, 1884. Erbyn heddiw y cwbl a erys o'r hen adeilad yw'r colofnau a safai o bobtu'r drws.
    Yn Hydref 1907, dan anogaeth gyson ei dad yn bennaf, daeth Williams Parry i'r coleg hwn i gwblhau ei gwrs gradd. Ei bynciau oedd Saesneg, Cymraeg ac Athroniaeth.

52

53

54a

54b

52. Syr John Morris-Jones (1864–1929). Yn ystod ei gwrs ym Mangor daeth Williams Parry dan ddylanwad John Morris-Jones, prif ysgolhaig y Gymraeg yn ei ddydd.

''Roedd [Williams Parry] yn parchu John Morris-Jones fel bardd yn ogystal ag fel gramadegydd, ac ar ben hynny 'roedd cyfaredd llais y darlithydd pan ddarllenai'r hen gywyddau. 'Roedd hynny'n 'ysbrydoliaeth', fel y mae'n cydnabod ar ddechrau *Yr Haf a Cherddi Eraill*.'

R. Williams Parry : Dawn Dweud, Bedwyr Lewis Jones

53. Dylanwad pwysig arall ar Williams Parry ym Mangor oedd yr Athro Saesneg, W. Lewis Jones (1866–1922), a ddarlithiai ar farddoniaeth ramantaidd y bedwaredd ganrif ar bymtheg.
Yr oedd gan yr Athro feddwl uchel o ddoniau Williams Parry. Ar ôl gweld copi o awdl *Cantre'r Gwaelod*, fe ddywedodd wrth John Morris-Jones: 'You have a Keats coming up in Wales'. Yn ei dystlythyr i Williams Parry, ym Mehefin 1908, pan ymgeisiodd am swydd athro yn Ysgol Sir Llanberis, fe ysgrifennodd W. Lewis Jones: 'The essays and papers on English literature which he has written for me have been marked by a critical insight, a freshness of thought, and a felicity of expression which fully confirm his reputation as a writer'.

54 a/b. Cadair gyntaf R. Williams Parry. Yn ystod ei flwyddyn ym Mangor yr enillodd Williams Parry y gyntaf o'i ddwy gadair eisteddfodol. Er yng nghanol ei gwrs coleg, fe gyfansoddodd awdl o dros dri chan llinell ar gyfer Eisteddfod Myfyrwyr Colegau Bangor, Gŵyl Ddewi 1908. Y testun oedd 'Cantre'r Gwaelod', a'r beirniad oedd ei Athro Cymraeg, John Morris-Jones. Ceir peth o hanes cyfansoddi'r awdl gan J. Llywelyn Williams, cyfyrder y bardd:

'Yn Hydref 1907 daeth Williams Parry i aros gyda mi ym Mangor, ar ôl bod yn athro mewn ysgol yn Henffordd am ddwy flynedd . . .

> ### Rhan o awdl 'Cantre'r Gwaelod'
>
> Eden deg o dan y don
> I frwyn a môr-forynion;
> Yma rhwng ei muriau hi
> Nofiant yn eu cynefin.
> Main hudol a phob golud
> Sy o fewn y ddinas fud,
> Tlysau a pherlau a physg,
> Gwymon a gemau'n gymysg . . .
> O'r ddinas gain, sain y sydd
> Soniarus yn y Werydd.

Yn nhymor y Pasg y canodd yr awdl 'Cantre'r Gwaelod' a enillodd y Gadair yn Eisteddfod y Coleg . . .

Nosweithiau difyr i mi oedd y rheiny, pan fyddwn yn gofyn ynghylch yr awdl. "Sut hwyl ar y gwaith heno, Bob?" "Dim o gwbl," meddai, "Dwy linell – a gwelais fod un ohonynt yn barod gan Dewi Wyn." Hwyl fawr noson arall, rhyw ddeugain llinell yn dod yn rhwydd ddigon.'

'Atgofion am R. Williams Parry', J. Llywelyn Williams,
Llafar, Haf 1956; ailgyhoeddwyd yn
Cyfres y Meistri 1: R. Williams Parry,
Gol. Alan Llwyd (1979)

Awdl *Ewyn y Don* oedd yr orau o ddigon yn Eisteddfod y Myfyrwyr, ac 'roedd y beirniad wrth ei fodd gyda hi.

'"He went into raptures over the winning ode", meddai adroddiad yn y *Western Mail*. Dotiai John Morris-Jones at afael 'Ewyn y Don' ar gerdd dafod, gydag un llinell o bob pump yn ei gerdd yn gynganeddion croes o gyswllt. Dywedodd o'r llwyfan, ailadroddodd yr un farn mewn tystlythyr, fod y gerdd yn rhagori ar y rhan fwyaf o ddigon o awdlau cadeiriol yr Eisteddfod Genedlaethol.'

R. Williams Parry: Dawn Dweud, Bedwyr Lewis Jones

Cedwir cadair 'Cantre'r Gwaelod' yn Oriel Bangor, ger y Gadeirlan.

55.   Llythyr oddi wrth y Prifardd, y Parchedig J. T. Job (1867-1938), gweinidog capel y Methodistiaid yn y Carneddi, Bethesda, yn llongyfarch Williams Parry ar ennill cadair 'Cantre'r Gwaelod'. Awgryma i'r bardd gyhoeddi ei awdl yn *Y Traethodydd* yn hytrach nag yn *Y Geninen*: câi dâl gan olygydd *Y Traethodydd*.

55

56

≈ **Universitas Cambrensis.** ≈

Robert Williams Parry

Ex Collegiis de Aberystwyth et Bangor

In Gradum Baccalaurei in ARTIBUS

die tertio decimo mensis Novembris, A.D. MCMVIII

admissus est.

George P.

Cancellarius.

J. Mortimer Angus Registrarius.

57a

131 POST CARD

FOR INLAND USE ONLY.
PRINTED OR WRITTEN MATTER.

ONLY THE ADDRESS TO BE
WRITTEN HERE.

R. Williams Parry Ysw. B.A.
Brynrefail County School
Cwm-y-glo. R.S.O.

57b

56.   Tystysgrif gradd B.A. R. Williams Parry. Bu'r flwyddyn 1907-8 ym Mangor yn flwyddyn hapus a llwyddiannus yn ei hanes: enillodd ei gadair eisteddfodol gyntaf gyda chlod uchel gan neb llai na John Morris-Jones, ac ennill gradd B.A ar derfyn ei gwrs. Yn y Gymraeg 'roedd yn y dosbarth cyntaf, ac fe ddisgleiriodd mewn llenyddiaeth Saesneg, gan wneud argraff ddofn ar ei athrawon, John Morris-Jones ac W. Lewis Jones. Ar ben hynny i gyd yr oedd wedi cael blwyddyn afieithus yng nghanol miri bywyd myfyrwyr.

57 a/b.   Cartŵn ar gerdyn post a anfonwyd at Williams Parry gan ei hen brifathro yn Nhal-y-sarn, W. Meiwyn Jones a'i deulu, yn ei longyfarch ar dderbyn ei radd. Fe'i postiwyd yn Nhal-y-sarn ar 14 Tachwedd, 1908, drannoeth y graddio. Cyfeiria'r 'M3 + H' at 'Meiwyn' a'i wraig Mary, a'u dwy ferch Megan a Hilda.

58

58. Ysgol Sir Llanberis a'r Cylch ym 1900. Ym Mrynrefail, cwta ddwy filltir o Lanberis, y lleolwyd yr ysgol.

Ar derfyn ei gwrs ym Mangor, ac ar ôl treulio wyth mlynedd yn athro mewn ysgolion cynradd, penodwyd Williams Parry yn athro Cymraeg a Saesneg yn Ysgol Sir Llanberis. Yn ôl tystiolaeth ei brifathro ar derfyn ei gyfnod yno, ym 1910, yr oedd yn athro a disgyblwr rhagorol. Fe arhosodd yn Ysgol Llanberis o fis Medi 1908 hyd fis Gorffennaf 1910. Edrydd Williams Parry ei hun hanes ei benodi:

59

'Fel hyn y bu. Rhyw fore o Fehefin yn y flwyddyn 1908 anfonodd yr Athro Morris-Jones amdanaf i'w ystafell, a dweud wrthyf fod y swydd o athro Cymraeg a Saesneg yn Ysgol Sir Llanberis yn mynd yn wag rhag blaen. A hoffwn i gynnig amdani? Atebais innau nad oeddwn yn rhyw orawyddus: y buasai lle mewn tref go boblog yn fwy at fy ffansi. Rhoes imi ddeuddydd neu dri i ystyried y mater. Cefais innau sgwrs gyda'm tad, a chyngor tadol ddigon ganddo i geisio a gawn yn ddiymdroi rhag ofn na chawn a geisiwn yn nes ymlaen. Anfon fy nghais i'r Prifathro ddechrau'r wythnos; mynd i'w weld tua'i chanol; a chael f'apwyntio cyn ei diwedd! 'On'd diddan iawn y dyddiau'n ôl'?'

Hanes yr Ysgol Sir ym Mrynrefail, Arfon, y Parch. John Pritchard, M.A., B.D.

59. Yn ystod ei gyfnod yn ardal Brynrefail, cafodd Williams Parry gwmnïaeth eneidiau cydnaws megis Alafon, Cyngar, sef Robert E. Jones, brawd Hywel Cefni, Edward Ffoulkes, a Madoc Jones, yr athro Mathemateg. Hwn oedd cyfnod cyfansoddi awdl 'Yr Haf'. Lletyai ym Mryn Derw, ger yr ysgol, a cheir traddodiad yn yr ardal mai ar y bryn rhwng Bryn Derw a fferm y Llys y cyfansoddodd ei awdl. 'Roedd gan Williams Parry atgofion melys am y cyfnod hwn:

'. . . cael te a helyntion yr amseroedd yng nghwmni Mr. Gwilym Jones ym mharlwr hir Brynderw, a smôc feunosol efo Mr. William [sic] Ffoulkes cyn mynd i'r gwely: mynd am droeau hir gyda Mr. Madoc Jones ddwywaith neu dair yr wythnos, – bob amser i gyfeiriad Cegin Arthur a machlud haul. Fy newis i a fyddai hyn, oherwydd ni welais na chynt nac wedyn fro mor farddonol â honno, na gwrandawr mor ddelfrydol â Mr. Jones. Os bûm i fardd erioed, dyna'r pryd y bûm; ac i'm cydymaith doeth a'm cylchfyd rhamantus y pryd hwnnw yr wyf i ddiolch am ysbrydoliaeth.'

Hanes yr Ysgol Sir ym Mrynrefail, Arfon, y Parch. John Pritchard, M.A., B.D.

60.   Edward Ffoulkes (1850-1917), un arall o gyfeillion Williams Parry yng nghyfnod Ysgol Sir Llanberis. Goruchwyliwr, neu 'stiward', yn Chwarel Vivian, Llanberis, ydoedd; gŵr llengar, diwylliedig a garai'r encilion. Yr oedd yn un o arloeswyr y soned yn Gymraeg. Merch iddo oedd Annie Ffoulkes. Canodd Williams Parry gerdd goffa iddo ar ffurf soned.

Edward Ffoulkes

Fe garodd bob rhyw geinder is y rhod
   Mewn natur, mewn celfyddyd, ac mewn dysg;
'Roedd hefyd ar ei bryd a'i osgedd nod
   Y dynion nid adwaenir yn ein mysg;
Y rhai, mewn cnawd fel ninnau, ar wahân
   Freuddwydiant eu breuddwydion, ac fel ni,
O'n defnydd, fflachiant eu llusernau tân
   Drwy'r cysgod sydd yn fwy na'th sylwedd di.
Yntau mewn llawer myfyr wrtho'i hun –
   A'r deall sydd o'r galon yn ei wedd –
Gerddodd anghysbell ffyrdd, cans i'r fath un
   'Roedd rhodio'n orffwys, a myfyrio'n hedd;
Nes myned i'w ddieithraf, olaf daith,
Heb nerth nac ysbryd i ddychwelyd chwaith.

61.   Ym 1909, yn ystod ei gyfnod yn Ysgol Sir Llanberis, fe roes Williams Parry ail gynnig ar ennill y Gadair Genedlaethol. Anfonodd awdl ar y testun 'Gwlad y Bryniau' i Eisteddfod Llundain. T. Gwynn Jones a gadeiriwyd, ac ail oedd *Alastor*, sef R. Williams Parry. Cafodd ganmoliaeth aruchel fel cynganeddwr gan y ddau feirniad, John Morris-Jones a J. J. Williams. Gwendid ei awdl oedd diffyg cynllun.

62.   Clawr rhestr testunau 'Eisteddfod Frenhinol Genedlaethol Cymru', Bae Colwyn, Medi 13, 14, 15, 16 a 17, 1910.

Dyfyniadau o awdl 'Gwlad y Bryniau'

R. Williams Parry

Delediw wlad oleu, wen,
Wyd anwylyd y niwlen;
Henfro'r brwyn a'r clogwyni,
A thud y tarth ydwyt ti;
Yn dy niwlen deneulwyd,
Ac yn dy wyn, geined wyd!

Ceyrydd y mynydd i mi,
Y llyn tywyll yn tewi,
A main y cwm yn cymmell
Myfyr y bardd am fro bell,
A chais yn nhawch oesau'n ôl
Eu diddanwch hud-ddenol.

62

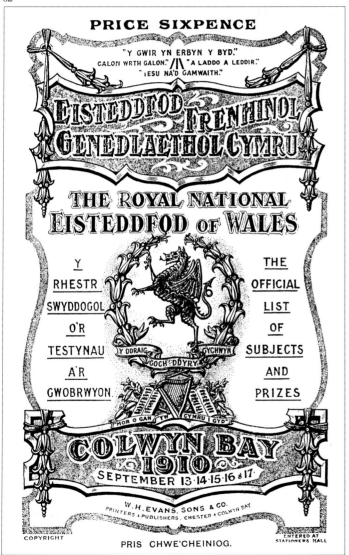

63

LLENYDDIAETH (Literature).

--- ---

BARDDONIAETH (Poetry).

	Gwobr (Prize £ s. d.
1.—Awdl y Gadair (heb fod dros 800 llinell) "Yr Haf" A Chadair Dderw gerfiedig. (Rhoddir y Gadair gan y Mri. D. Allen a'i Feibion, Colwyn Bay). *Beirniaid* : Dyfed, Pedrog, a Berw.	... 21 0 0
Chair Ode (not to exceed 800 lines) "The Summer" And a Carved Oak Chair. (Chair given by Messrs. D. Allen & Sons, Colwyn Bay). *Adjudicators* : Dyfed, Pedrog and Berw.	... 21 0 0

63. Rhan o restr testunau, dwyieithog, Eisteddfod Bae Colwyn, 1910. Testun yr awdl oedd 'Yr Haf'.

Ar ôl colli o ddim ond trwch y blewyn yn Eisteddfod Genedlaethol Llundain, 1909, ar yr awdl 'Gwlad y Bryniau', fe roes Williams Parry bob gewyn ar waith, i ennill cadair Bae Colwyn. Gweithiodd mor galed ar ei awdl nes colli ei archwaeth at fwyd, a churiodd ei wedd.

64a

Rhiwafon,
Talysarn.
6. 9. 10.

Anwyl Eifion Wyn, —

Gwelwch fy mod yn manteisio ar eich carredigrwydd yn cydsynio i fwrw golwg dros yr Awdl hon. Nid fy amcan ydyw gofyn eich cymeradwyaeth (?), ac yna'i chyhoeddi (h. y. y gymeradwyaeth) heb gennad. Nid wyf Dybi, thank ye stars! Yn unig hoffwn fod yn fwybod am rywrai heblaw fy hun fo mewn cydymdeimlad a'r ysbryd sydd yn yr Awdl pan weler y beirniadaethau. Gwelwch mai tipyn yn diobaith ydwyf, nid am y credaf nad yw'r Awdl yn teilyngu cadair, — ba les rhagrith? — ond am

64b

nad yw y math honnaw o Awdlau ag a ffynir yn foddhaol gan "yr hen reol." Nid eiddof fi'r mesur. Ar lwon y canodd Mr. Gwynn Jones yn rhwdden, o chofiwch. Tipyn yn awgrymiadol o W. J. ydyw yr ail ran hefyd. Ond dyna, — pwy nad yw'n ffaiig yng Nghelf?

Hwyrach y byddaf yn y Port. ar flying visit eryn yr agoro'n Coleg. Hoffwn gael game o Billiards gyda chwi, pan ddeloyf. Bum yn walleo ar y chware unwaith, a chenais Symwyd ido yn Magazine Coleg Bangor flwyddi'n ol. Ond dwrdai'r gyda'n cwpled, —

Thus I sing, ye budding bards,
 Na chybolwch a'r Billiards.

Fy nghofion cynnes at Mrs. Wyn a Pheredur.

Cu eiddoch yn bur,
R Wms Parry.

P.S. A gaf fi'r copi hwn yn ol ynrhted ag y bo modd? — Efor yw'r unig un sydd gennyf. RWP

65

64. Llythyr a anfonodd Williams Parry at Eifion Wyn wythnos cyn Eisteddfod Bae Colwyn yn gofyn am ei farn ar ei awdl.

65. Pont Criwiau dros afon Llyfni, ger cartref Williams Parry. Yn ôl yr hanes a adroddodd Idwal Jones, ffrind Williams Parry, wrth John Llywelyn Roberts, fe fu cyfarfod dramatig ar y bompren hon

ynghylch awdl 'Yr Haf'. 'Roedd tri wedi ymgynnull ar y bont 'ar hwyrnos yn y gwanwyn', sef Idwal Jones a John Evan Thomas o Ben-y-groes, a Williams Parry, tri chyfaill mynwesol. Dangosodd Williams Parry gopi o'i awdl i'w ddau gyfaill. Fe'u cyfareddwyd. Ond yna, fe'u syfrdanwyd pan ddywedodd y bardd na fyddai yn ei hanfon i'r gystadleuaeth. Ofni yr oedd na fyddai'r awdl ramantaidd newydd yn gymeradwy gan y beirniaid, Dyfed, Berw, a Phedrog. Er i John Evan Thomas ddawnsio yn ôl a blaen ar y bont mewn cynddaredd, methwyd â pherswadio Williams Parry i newid ei feddwl. Eithr ar ôl ail gyfarfod, a John Evan Thomas yn bygwth y byddai'r cyfeillgarwch rhyngddynt yn darfod â bod am byth pe na byddai'n postio'r awdl, a phwyso am rai dyddiau wedyn, fe gytunodd y bardd i'w hanfon i'r gystadleuaeth. Fe geir yr hanes yng ngholofn 'John El', sef John Llywelyn Roberts, yn *Baner ac Amserau Cymru*, 16 Ebrill, 1970.

66a

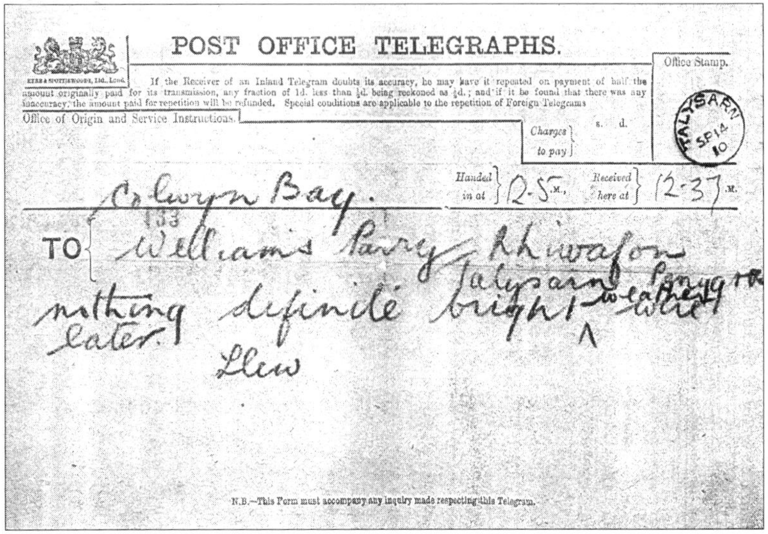

POST OFFICE TELEGRAPHS.

If the Receiver of an Inland Telegram doubts its accuracy, he may have it repeated on payment of half the amount originally paid for its transmission, any fraction of 1d. less than ½d. being reckoned as ½d.; and if it be found that there was any inaccuracy, the amount paid for repetition will be refunded. Special conditions are applicable to the repetition of Foreign Telegrams

Office of Origin and Service Instructions. Charges to pay s. d. Office Stamp. TALYSARN SP 14 10

Colwyn Bay. 133 Handed in at 12.5 M. Received here at 12.37 M.

TO Williams Parry Rhiwafon Talysarn Penygroes

nothing definite bright weather wire later. Llew

N.B.—This Form must accompany any inquiry made respecting this Telegram.

67

POST OFFICE TELEGRAPHS.

If the Receiver of an Inland Telegram doubts its accuracy, he may have it repeated on payment of half the amount originally paid for its transmission, any fraction of 1d. less than ½d. being reckoned as ½d.; and if it be found that there was any inaccuracy, the amount paid for repetition will be refunded. Special conditions are applicable to the repetition of Foreign Telegrams

Office of Origin and Service Instructions. Charges to pay s. d. Office Stamp. TALYSARN SP 15 10

Colwyn Bay Handed in at 1.52 M. Received here at 2.44 M.

TO Parry Rhiwafon Talysarn Penygroes Carnarvon.

have just been chaired bob.

N.B.—This Form must accompany any inquiry made respecting this Telegram.

66b

POST OFFICE TELEGRAPHS.

If the Receiver of an Inland Telegram doubts its accuracy, he may have it repeated on payment of half the amount originally paid for its transmission, any fraction of 1d. less than ½d. being reckoned as ½d.; and if it be found that there was any inaccuracy, the amount paid for repetition will be refunded. Special conditions are applicable to the repetition of Foreign Telegrams

Office of Origin and Service Instructions. Charges to pay s. d. Office Stamp. TALYSARN SP 14 10

Colwyn Bay Handed in at 1.42 M. Received here at 2.0 M.

TO Parry. Rhiwafon Talysarn

Have found rooms for you Owen

N.B.—This Form must accompany any inquiry made respecting this Telegram.

66 a/b. Dau delegram at Williams Parry o Fae Colwyn. Gartref yn Nhal-y-sarn yr oedd Williams Parry ddydd Mercher, 14 Medi, sef y diwrnod cyn y cadeirio. Ond yr oedd ganddo 'ysbiwyr' yn synhwyro'r awyr am newyddion ym Mae Colwyn, ac i anfon cudd-negesau i Riwafon. Am bum munud wedi deuddeg, anfonodd 'Llew' delegram i Dal-y-sarn i ddweud nad oedd newydd pendant, ond fod pethau'n edrych yn olau: 'nothing definite bright weather wire later'. Owain Llewelyn Owain, newyddiadurwr o Dal-y-sarn, a ffrind Williams Parry, mae'n bur debyg, oedd Llew.

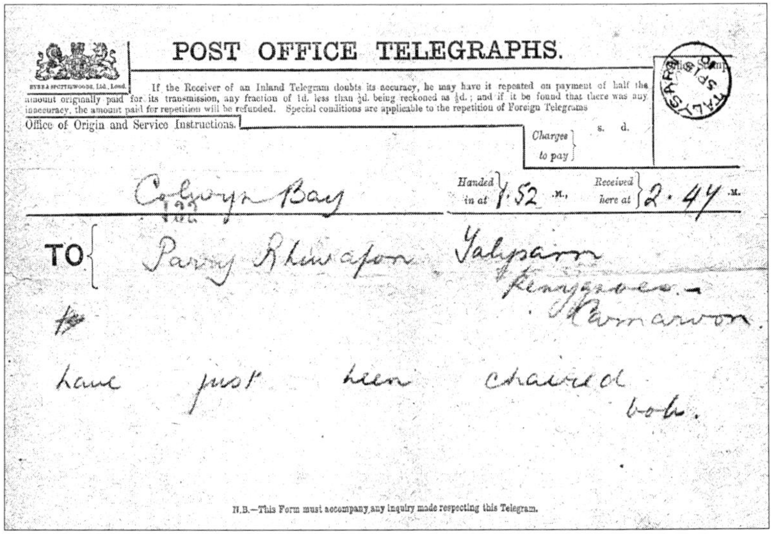

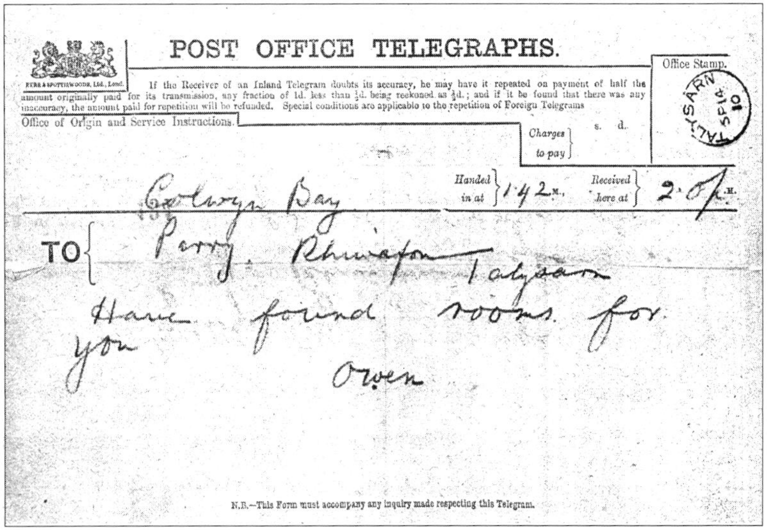

Rhyw ddeugain munud yn ddiweddarach anfonodd 'Owen', clustfeiniwr arall, delegram i Riwafon i ddweud mai Williams Parry a fyddai bardd y gadair drannoeth. 'Have found rooms for you' oedd y geiriad, ond oherwydd y ddealltwriaeth rhyngddynt, fe fyddai Williams Parry yn deall arwyddocâd y neges. Anfonwr y brysneges oedd Owen Griffith Owen, Alafon, un o gyfeillion Williams Parry yn ardal Brynrefail.

67. Y telegram a anfonodd Bardd 'Yr Haf' o Fae Colwyn at ei rieni yn Nhal-y-sarn am wyth munud i ddau, ddydd Iau, 15 Medi, 1910: 'have just been chaired bob'.

68. 'Bardd yr Haf' yn eistedd yn ei gadair.

'Cododd "Llion" yng nghanol y dorf, ac wedi ei weld a'i nabod mawr oedd llawenydd y dorf, ac amlwg oedd fod y dyfarniad yn boblogaidd iawn. Arweiniwyd "Llion" i'r llwyfan gan Mr Crwys Williams, y bardd coronog, ac Alafon, ac wedi llwyddo i gael ysbaid o dawelwch, hysbysodd yr Archdderwydd mai'r buddugol oedd R. Williams Parry, Tal-y-sarn, – efe'n ail y llynedd yn Eisteddfod Llundain. Gwedi ei sicrhau fod heddwch y diwrnod cynt yn aros o hyd, cadeiriwyd y bardd ieuanc ynghanol bonllefau o gymeradwyaeth. Fe'i hurddwyd gan Countess Dundonald, ac wedi anerchiadau'r beirdd, clowyd i fyny'r gwasanaeth dyddorol, a'r dyrfa yn uno a Eos Dar i ganu'r Anthem Genedlaethol.'

Gwalia, 19 Medi, 1910

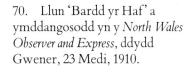

69. Cadair Eisteddfod Bae Colwyn, 1910. Fe'i cedwir yn Llyfrgell Genedlaethol Cymru, Aberystwyth.

70. Llun 'Bardd yr Haf' a ymddangosodd yn y *North Wales Observer and Express*, ddydd Gwener, 23 Medi, 1910.

71. Llun o Williams Parry yn *Yr Herald Cymraeg*, 27 Medi, 1910.

72

73a

73b

72.   Rhiwafon. Nos Wener, drannoeth ei gadeirio, fe ddychwelodd Williams Parry adref ar y trên i Dal-y-sarn.

'Yr oedd tyrfa wedi ymgynnull tuallan i orsaf Nantlle i ddisgwyl y bardd, a phan ddaeth y gerbydres, clywyd yr ergydion yn diaspedain o dan y "march tân". Ffurfiwyd gorymdaith drefnus yn swn nodau Seindorf Arian y dyffryn yn chwareu "See the conquering hero comes." Gosodwyd y bardd ar gadair mewn cerbyd. Wedi cyrhaedd Rhiwafon, ei breswylfod, cafwyd anerchiadau gan Hywel Cefni, W. J. Griffith (Dorothea), Richard Jones U.H., Idwal Jones, John Thomas (Penygroes), Meiwyn, a D. Thomas, Ysgol y Cyngor. Estynwyd yr un croesaw i Mr O. Llew Owain [a wobrwywyd am draethawd ar Llew Llwyfo].'

Yr Herald Cymraeg, 27 Medi, 1910

74a

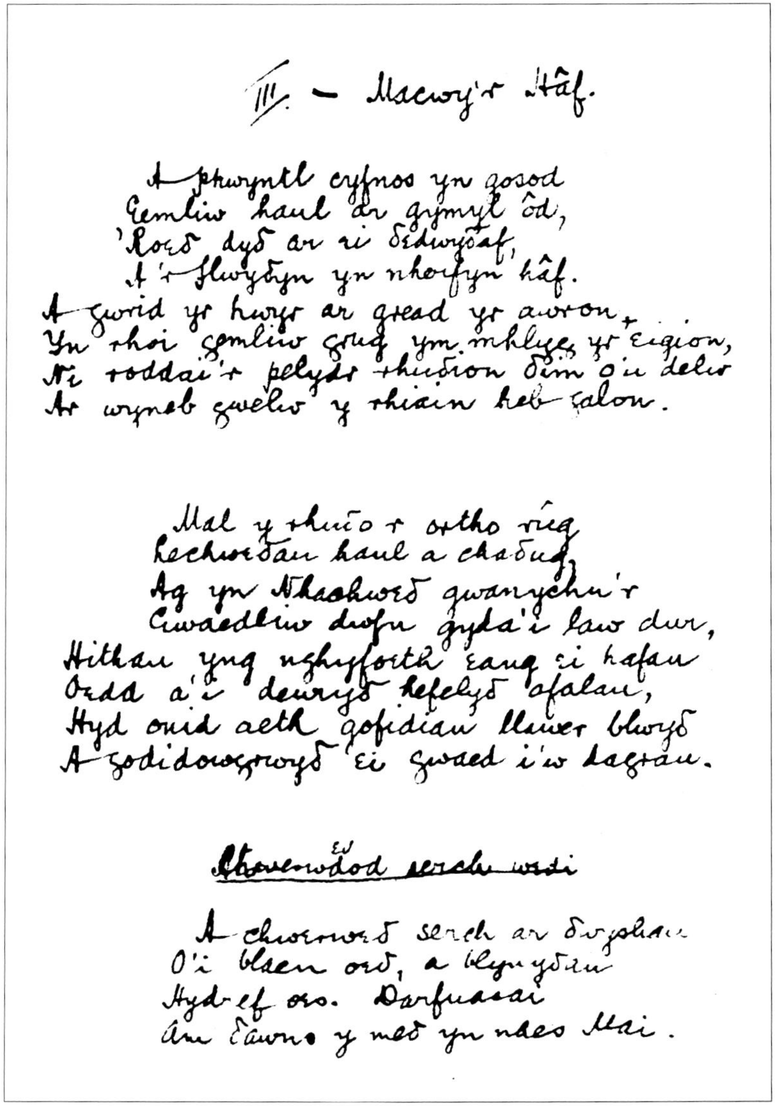

III. — Macwy'r Hâf.

A phwyntl cyfnos yn gosod
Gemliw haul ar gymyl ôd,
'Roedd dydd ar ei ddedwyddaf,
A'r flwyddyn yn nhwyfyn hâf.
A gwrid yr hwyr ar gread yr awron,
Yn rhoi gemliw gwrid ym mhlyg yr eigion,
Ni roddai'r pelydr rhuddion ddim o'u delw
Ar wyneb gwelw y rhiain heb galon.

Mal y rhuo'r ortho rieg
Lechweddau haul a chadneg,
Ag yn nhachwedd gwanychu'r
Gwaedliw dwfn gyda'i law dur,
Hithau yng nghyfforth eang ei hafau
Oedd a'i deuryd hefelydd afalau,
Hyd oni aeth gofidiau llawer blwydd
A godidowgrwydd ei gwaed i'w dagrau.

Chwerwdod serch wedi

A chwerwedd serch ar ddwyslau
O'i blaen oedd, a blynyddau
Hyd ef oes. Darfuasai
Am Eawns y medd yn nhes Mai.

74b

Myfyrdodau'r Haf

Y Pessimist:- Ni bu digrifwch heb ddagrau hefyd.
Yr Optimist:- Bod marw'n y llan: bod miri'n y llwyni.
Yr Ieuanc Llawen:- Beth yw fy Haf o gobeithiwyf hefyd?
Pleserau:- Atcof a fydd y teccaf a fedd.
Serch: O gyfoeth o werth, gwae ef a'i collyd!
Yr Henadur:- Ni fwriaf o gof yr haf a gefais.
Ffyddlondeb Serch:- Y fun a garaf yw honno gerais.
Y Brawd Llwyd:- Mae llwybr i'r llan o'r llannerch.
Y Brawd Gwyn:- Ac yno bydd Haf, ac ni bydd hafau.
Y Bardd: Bodd ei amwybod i'r byd yn helaeth.
Yr olaf o Orffennaf 1911. R. Williams Parry

73 a/b. Dau gwpled o gywydd ar gerdyn post (dyddiedig 27 Medi, 1910), oddi wrth ei gefnder, T. H. Parry-Williams, yn gwahodd Williams Parry i Ryd-ddu, ar ôl ei fuddugoliaeth ym Mae Colwyn.

74 a/b. Rhan o awdl 'Yr Haf' yn llaw R. Williams Parry; a 74(b), dyfyniadau o awdl 'Yr Haf', gyda phenawdau, a ysgrifennodd R. Williams Parry yn albwm ei chwaer Dora ar ddydd olaf Gorffennaf, 1911. Gwahaniaethant oddi wrth y fersiwn a geir yn *Yr Haf a Cherddi Eraill*, ac yn *Cofnodion a Chyfansoddiadau Eisteddfod Genedlaethol 1910*.

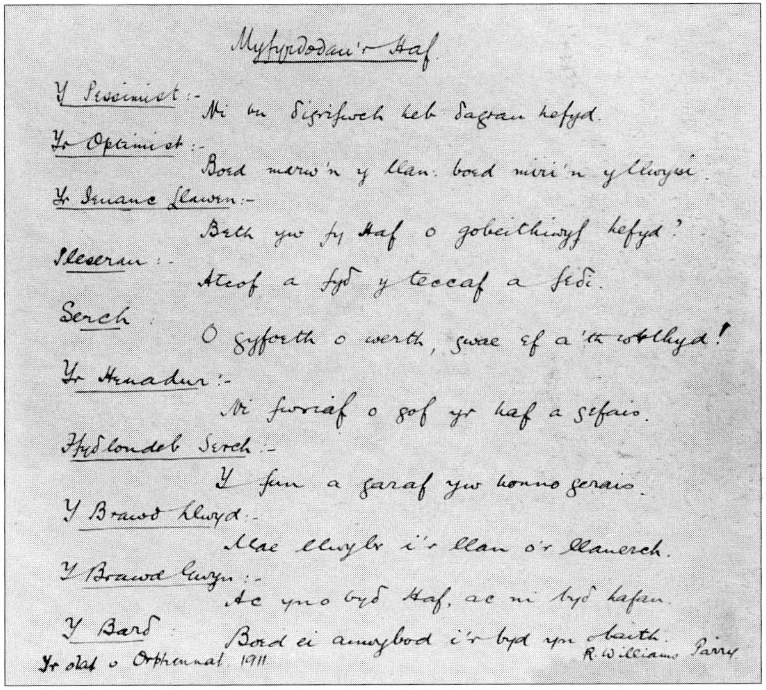

75

76

75.   Tref Morlaix yn Llydaw. Ar ôl dwy flynedd lwyddiannus yn athro yn Ysgol Sir Llanberis, a'i gamp fawr ym Mae Colwyn, 'roedd Williams Parry, yn Hydref 1910, yn ôl yng Ngholeg Bangor. Y tro hwn ei fwriad oedd ennill gradd M.A. Pwnc ei ymchwil oedd cyswllt y Gymraeg a'r Llydaweg, ac fel rhan o'i ymchwil treuliodd ychydig wythnosau yn Llydaw. Bu yno o Dachwedd 1911 hyd Ionawr 1912.

76.   Cerdyn post a anfonodd Williams Parry, y myfyriwr ymchwil, o Morlaix at ei rieni yn Nhal-y-sarn ar 24 Ionawr, 1912.

''Rwyf ar gychwyn i Paris gyda'r tren 8.40. Cyrhaeddaf yno 6.30, yn rhy hwyr i yrru gair i chwi. 'Rwyf yn gyrru P.C. i H. Pritchard. Bob.'

77.

Y Mynydd a'r Allor
(Rhan o'r gerdd)
(Llydaw 1911)

II

Nos Gatholig y Nadolig
Treuliais orig trwy laswyrau
Lle'r oedd cerddor a Christ mynor
A chain allor a chanhwyllau

Yr offeren; ond cyn gorffen
O sagrafen y fras grefydd
'Roedd fy nghalon falch ac estron
Hyd ymylon tlawd y moelydd,

Hyd fron Cymffyrch yn yr entyrch,
Bron anhygyrch bryn unigedd,
Dim ond cymyl ar fy nghyfyl
A rhu megnyl ar y Mignedd.

Ac yn oriel San' Mihangel,
Yn lle uchel freuddwyd llachar,
Gyda'r cudyll a'r cornicyll
Hoffais dywyll affwys daear.

78

78.   Hen adeilad Ysgol Boduan, ger Nefyn yn Llŷn, lle treuliodd R. Williams Parry ychydig wythnosau yn brifathro dros-dro ym 1912, ar ôl rhai wythnosau yn athro dros-dro yn Sarn Mellteyrn.

'1911-12 – Treulio'r gaeaf yn Llydaw yn fyfyriwr "ar ei fwyd ei hun," a'r haf yn Llŷn yn athro symudol. Derbyn gradd M.A. am draethawd ar "Gysylltiadau'r Gymraeg a'r Llydaweg".'

'Bywgraffiad Byr', *Gwŷr Llên*

Fe sonia Williams Parry am yr ysgolion y bu'n dysgu ynddynt, gan gynnwys Ysgol Boduan, mewn llythyr a ysgrifennodd at O. M. Roberts ar 30 Ionawr, 1945:

'. . . Ar ôl derbyn tystysgrif y Bwrdd Addysg yng Ngholeg Aberystwyth yn y flwyddyn mil naw cant a phedwar bûm yn athro mewn saith o ysgolion elfennol – mae saith yn rhif ysgrythurol – ac mewn tair o Ysgolion Sir. Am yr ysgolion elfennol, ni chefais y sac o'r un ohonynt, "er amled yw eu rhif." Yn yr un dref – sef Henffordd – yr oedd dwy o'r rhain, ac yn yr un cwmwd – sef Llŷn – yr oedd dwy arall, sef Ysgol y Sarn ac Ysgol Boduan. Yr oedd cryn amrywiaeth yn oedran y plant yn yr ysgol hon, ac er mwyn cael trefn a dosbarth arnynt gofynnais iddynt: "Pwy ydi'r Infants yma?" Cododd rhyw wyth neu naw o bethau bach del eu dwylo i fyny. "Pwy sydd yn Standard Wan?" Yr oedd chwech neu saith o'r rhain. "Pwy sy yn Standard Two?" Pedwar neu bump oedd o'r rhain. "Pwy sydd yn Standard Three?" Tri neu bedwar. "Pwy sydd yn Standard Four?" Neb yn ateb. "Ple mae Standard Four heddiw?" "*Please*, sir, mae o wedi mynd i Tyddyn Ucha' i nôl llaeth".'

Fe adroddir hanesyn cyffelyb am Williams Parry yn Ysgol y Sarnau (yn *Y Pethe*, Llwyd o'r Bryn), ond rhaid derbyn gair Williams Parry ei hun mai ym Moduan yr oedd y dosbarth un disgybl a aethai i 'nôl llaeth.

79. Ysgol Y Sarnau. Ar 26 Awst, 1912, dechreuodd Williams Parry ar ei waith yn brifathro Ysgol Y Sarnau, ger Cefnddwysarn, ysgol fechan wledig yn Sir Feirionnydd. '1912. August 26. Took charge of School this morning,' meddai yn llyfr lòg yr ysgol.

> 'Hiraeth am y wlad a'm gyrrodd i Gefnddwysarn:
> A dyna'r lle difyrra'
> Y bûm i ynddo 'rioed.

Ni byddwn byth yn dyheu am weled dydd Gwener yno. Dydd Mercher yw dydd du athro ysgol, y mae'n debyg, mae ychydig o ôl-llewych y pen wythnos – y *week-end* – ar ddydd Llun a dydd Mawrth, ys dywedai'r Dr Parry-Williams; a blaen-lewych yr egwyl nesaf ar ddyddiau Iau a Gwener. Ond nid

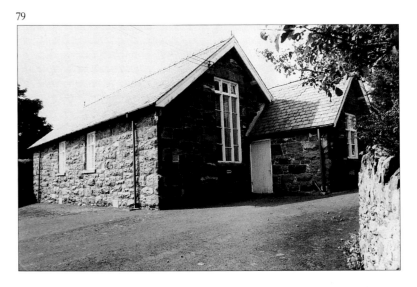

oedd fater gen i p'run ai dydd Mercher ai dydd Gwener fyddai hi yno. *Yno*, sylwer: ond nid yn unman arall y bûm ynddo . . .'

> *Llythyr Williams Parry at O.M. Roberts:*
> *o 'Pesta, Ionawr 30, '45.'*

> Mi fûm yn bwrw blwyddyn,
>   A'i bwrw'n ôl fy ngreddf,
> Trwy ddyddiau dyn a nosau
>   Y tylluanod lleddf,
> Lle'r oedd pob gweld yn gysur,
>   Pob gwrando'n hedd di-drai,
> Heb hiraeth am a fyddai, dro,
>   Nac wylo am na bai.

> 'Blwyddyn – Cefnddwysarn (1912-13)',
> *Cerddi'r Gaeaf*

80

81

80.   Dora, chwaer Williams Parry, a'i gŵr, y Parchedig J. Owen Jones, a'u mab bychan Gwyn. Daethai John Owen Jones, brodor o Ben-y-groes, Dyffryn Nantlle, yn weinidog Llandderfel a Chefnddwysarn ym mis Ebrill 1911, ychydig dros flwyddyn cyn i Williams Parry gyrraedd. Gyda'r gweinidog newydd a'i wraig yn Llandderfel y lletyai Williams Parry ar y dechrau. Yna symudodd i Gynlas, Cefnddwysarn, hen gartref Tom Ellis.

   Yn fuan, fel ym Mrynrefail, yr oedd ganddo gylch o gydnabod a chyfeillion yn yr ardal, megis Robert Evans, Crynierth, Cadeirydd y Llywodraethwyr, Llwyd o'r Bryn, J. F. Owen (tad Ifor Owen, Llanuwchllyn), ac yn arbennig John Davies, Llwyn Iolyn.

   Cadwyd llu o straeon amdano ar gof pobl yr ardal, am ei nerfusrwydd yn y nos, a'i ddulliau unigryw, ond effeithiol, o ddysgu plant.

81.   Y Parchedig John Owen Jones a'r teulu, a Nancy, chwaer iau Williams Parry, ar drip i dref glan môr. O'r chwith: Gwyn, Nancy, John Owen Jones, a Dora ei wraig.

82. Digriflun a dynnwyd gan Williams Parry pan oedd yng Nghefnddwysarn. John Davies, Llwyn Iolyn, sydd wrth yr afwynau, a Robert Evans Crynierth y tu ôl iddo. Yr arwr annisgwyl sy'n cythru i ben y merlyn gwyllt yw Williams Parry ei hun. Ar rai Sadyrnau fe âi Williams Parry gyda John Davies yn ei drap a'i ferlen ar deithiau porthmona yn yr ardal.

82

83

83. Cwmni Drama'r Sarnau, 1913. Williams Parry, y cynhyrchydd, sydd ar y dde eithaf yn y rhes flaen. Yn ôl Ifor Owen, Llanuwchllyn, ar ôl ei dad a oedd yn aelod o'r cwmni drama, ar y funud olaf y penderfynodd Williams Parry fynd i'r llun, a gwisgodd farf-osod i guddio'i wyneb.

'Ymunodd â chwmni drama lleol i gyflwyno *Asgre Lân* R. G. Berry. 'Roedd Llwyd o'r Bryn yn y cwmni; a Tom Jones, Cwm Main, Tom yr Hendre, y lluniwyd yr englynion Milwr o Feirion er cof amdano (*Yr Haf a Cherddi Eraill*, XLIX); ac E. O. Humphreys, a J. F. Owen. 'Pawb yn cynhyrchu ei ddarn ei hun', oedd hi yn ôl Llwyd o'r Bryn. 'Nid oedd RWP ddim mwy profiadol na neb [arall], a gwnâi y campau doniolaf noson y chwarae, na welson ddim ohonynt yn ystod yr ymarferiadau . . .'

R. Williams Parry: Dawn Dweud, Bedwyr Lewis Jones

84

85

84. Llun o Williams Parry yn
ifanc, o'r albwm a gadwai
Myfanwy Williams Parry.

85. Ysgol Sir Y Barri. Er ei fod uwchben ei ddigon yng
Nghefnddwysarn, fe ymadawodd am Y Barri ar ôl blwyddyn.

'Medi, 1913 – Gadael Cefnddwysarn (fy nhad yn fy ngwthio a
Silyn yn fy nhynnu) a mynd yn athro Cymraeg a Saesneg i ysgol
sir y Barri. Pyliau o hiraeth am y Cefn: dim mynyddoedd yn y
Fro.'

'Bywgraffiad Byr', *Gwŷr Llên*

Och! fy hen gyfaill marw,
    Ac och fy nhirion dad,
Roes im ddilaswellt lawr y dref
    Am uchel nef y wlad.

'Blwyddyn – Cefnddwysarn (1912-13)'

86

86. Silyn Roberts (1871-1930) –
y gŵr a ddenodd Williams Parry
i'r Barri. Yr oedd Silyn Roberts
wedi ei benodi yn Ysgrifennydd
Bwrdd Penodiadau Prifysgol
Cymru a sefydlwyd i
gynorthwyo graddedigion ac
eraill i gael swyddi, a daethai i
fyw i'r Barri yn Ionawr 1913.

87

Pesta,
Awst 13. 1931.

Annwyl Gyfaill, —
Efallai y cofiwch imi sôn wrthych yng Ngwesty'r Castell fod gennyf gerdd wedi ei gorffen, a'm bod yn petruso a yrrwn hi i'r Llenor ai beidio. Wel, fe ddigwyddodd rhywbeth yn ystod ein sgwrs a bair i mi feddwl bod rhywbeth yndd'i wedi'n ewbl. Crybwyllais wrthych mai y grand mistake a wneuthum i yn ystod fy mywyd oedd gadael Cefnddwysarn. Ni ddywedasoch air, ond gwenu! (Gweler ei pennill cyntaf).
Y 'hen gyfaill marw' yw Silyn, wrth gwrs.
Gobeithiaf eich bod yn ddigon iewus i dreulio'ch gwyliau —
'Lle ni syrth glaw nac ôd, na chesair chwaith,'
Cofion cynnes
R. W. Parry,

P.S. (Awst 19).
Anfo.af benog arall, 'y ffres o'r môr'! R.W.

87. Y llythyr a anfonodd Williams Parry at W. J. Gruffydd, golygydd *Y Llenor*, pan anfonodd y gerdd 'Blwyddyn' ato ym 1931. Meddai yn y llythyr: '. . . *y grand mistake* a wneuthum i yn ystod fy mywyd oedd gadael Cefnddwysarn'.

Gwelir ei hiraeth am Gefnddwysarn yn yr ohebiaeth farddol a fu rhyngddo a'i hen gyfaill John Davies, Llwyniolyn. Dyma un englyn:

Och! gyfaill, peidiwch gofyn – i mi'n awr
    Am wên iach nac englyn:
    Yn stŵr di-Dduw'r strydoedd hyn – 'rwy o ngho',
    O! mi allwn wylo am Llwyniolyn.

Ond er colli'r Cefn, bu'n ffodus fod nifer o Gymry Cymraeg galluog yn byw yn Y Barri yn y cyfnod hwn: Silyn Roberts, Tom Jones, Edgar Jones o Lanrhaeadr-ym-Mochnant, prifathro'r Ysgol Sir, Llew G. Williams o Ben-y-groes, Dyffryn Nantlle, gweinidog y Methodistiaid Calfinaidd, a chyfyrder Silyn, ac Annie Ffoulkes, athrawes Ffrangeg yn Ysgol Sir Y Barri. Fe ymunodd Williams Parry â'r dosbarth canu penillion, a chyfrannodd gerddi i'r *Welsh Outlook*, cylchgrawn a gychwynnwyd yn Y Barri yn Ionawr 1914 gan Tom Jones.

88. Annie Ffoulkes (1877-1962), merch Edward Ffoulkes, Llanberis. Fe'i haddysgwyd yn Ysgol Dr Williams, Dolgellau, ac mewn coleg yn Ffrainc. Hi oedd athrawes Ffrangeg Ysgol Sir Y Barri yn ystod cyfnod Williams Parry yn yr ysgol. Yr oedd yn aelod o'r gymdeithas o Gymry Cymraeg talentog a drigai yn Y Barri. Ar anogaeth Thomas Jones, un o aelodau'r cylch hwn, fe luniodd flodeugerdd o farddoniaeth Gymraeg ddiweddar a ddaeth yn boblogaidd iawn, *Telyn y Dydd*, a gyhoeddwyd gyntaf ym 1918.

89. Rhan o lythyr gan Williams Parry o'i lety yn Y Barri: 27 St Nicholas Rd., dyddiedig 19 Mawrth, 1915.
Mae'n bosibl mai llythyr at Owen Griffith Owen (Alafon) ydyw, ac mai Llew G. Williams yw Llew.

88

89

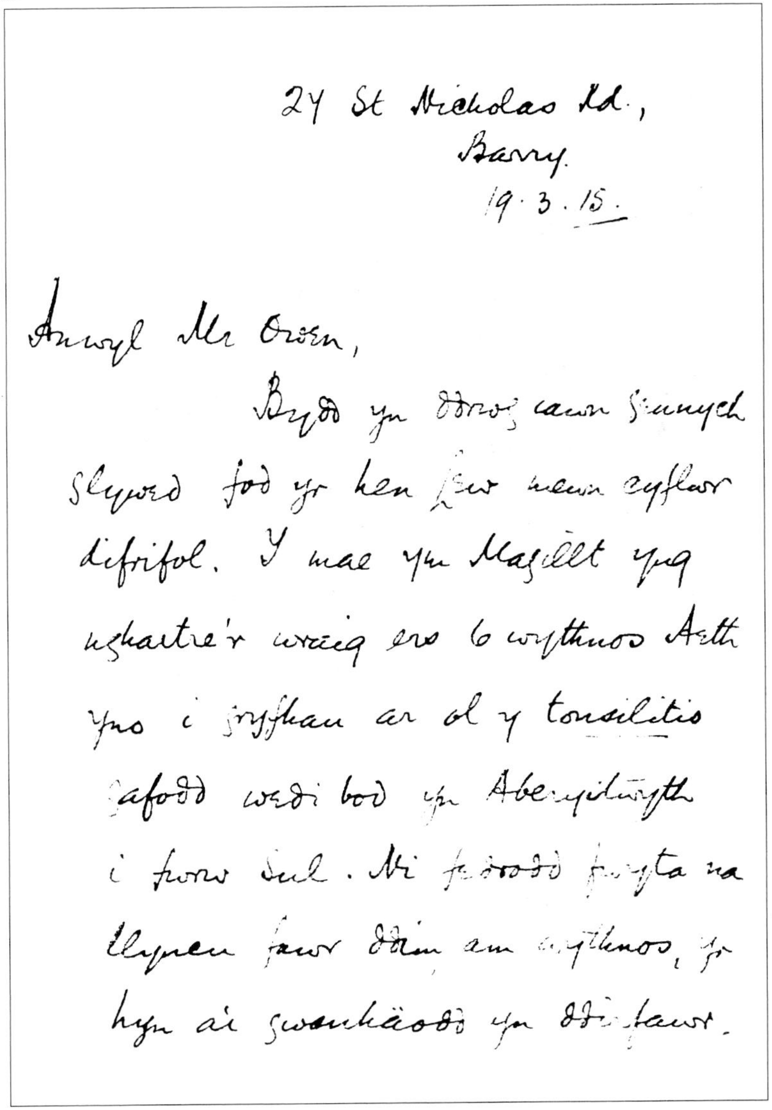

24 St Nicholas Rd.,
Barry.
19 . 3 . 15.

Anwyl Mr Owen,

Bydd yn ddrwg cawn Siamych slywod fod yr hen ŵr mewn cyflwr difrifol. Y mae yn Magillt yng nghartre'r wraig ers 6 wythnos Aeth yno i ryfhau ar ôl y tonsilitis gafodd wedi bod yn Aberystwyth i fwrw Sul. Ni foroedd fwyta na llymau fawr ddim am wythnos, yn hyn a'i gwanhaodd yn ddirfawr.

90

91.   Englyn Williams Parry, yn ei law ei hun, i'w fodryb Catherine, Y Drenewydd, chwaer hynaf ei fam, a merch y Parchedig William Hughes a Catherine ei wraig. Bu ei fodryb farw ym Mawrth, 1916, ac fe'i claddwyd mewn storm o eira. Dengys yr englyn gymaint meistr oedd R. Williams Parry ar y mesur. Yn ei feirniadaeth ar yr englyn mewn eisteddfod yn Lerpwl ym 1925, dangosodd pa mor anodd oedd llunio englyn da:

'Mesur trwyadl Gymreig ydyw'r englyn, am mai rhywbeth trwyadl Gymreig ydyw'r gynghanedd. Nid oes gan y neb ni ŵyr reolau'r gynghanedd siawns of gwbl gyda'r mesur bychan hwn. Ar y naill law y mae'r meddwl, y syniad, neu synnwyr: ar y llaw arall y mae caethiwed a charchar y gynghanedd; a'r gamp ydyw rhoddi'r carcharor dan glo gyda chyn lleied o ymdrech a helynt ag sydd bosibl.'

Rhan o feirniadaeth R. Williams Parry ar yr englyn yn Eisteddfod y Ddraig Goch, Lerpwl, 1925. Dyfynnir gan Bedwyr Lewis Jones yn *Rhyddiaith R. Williams Parry* (1974)

92.   Carreg fedd Catherine Evans Y Drenewydd a'i gŵr David J. Evans ym mynwent gyhoeddus Y Drenewydd.

90.   Rhan o gopi Williams Parry o'i ffurflen gais (dyddiedig 6 Mehefin, 1914) am swydd arolygydd ysgol cynorthwyol.

'Mai, 1915 – Cael fy ngwahodd i'r Bwrdd Addysg yn un o bedwar ymgeisydd am dair swydd Arolygydd Ysgolion. *Odd man out* – Syr Owen Edwards yn addo cofio amdanaf y tro nesaf.'

'Bywgraffiad Byr', *Gwŷr Llên*

91

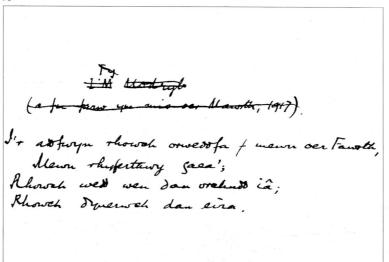

92

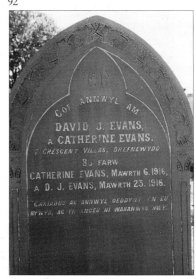

93

93. R. Williams Parry mewn lifrai milwr. Ar ôl tair blynedd yn Ysgol Sir Y Barri, symudodd Williams Parry, yn Ebrill 1916, i Ysgol Ganolraddol, Caerdydd yn athro Saesneg. Ond cyn iddo brin gael ei draed dano, fe'i galwyd i'r Fyddin.

'Tachwedd, 1916 – Cael fy nerbyn fel A1 gan y Fyddin: ei safon wedi gostwng. Methiant truenus fel milwr, a'm gyrru o Berkhamsted i Winchester at fy mhobl fy hun – hogiau Môn ac Arfon. Gartref oddi cartref yno.'

'Bywgraffiad Byr,' *Gwŷr Llên*

94

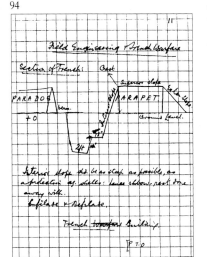

94. Dalen o 'Army Book' Williams Parry, Chwefror-Mawrth 1917, pan oedd dan hyfforddiant i fod yn swyddog milwyr-traed yn yr Hetherfield Cadet School, Berkhamsted. Ceir nodiadau yn llaw Williams Parry yn y llyfr ar bynciau megis 'Trench Warfare', 'Field Engineering', 'Map Enlarging'.
Eithr gwelwyd yn fuan nad oedd defnydd swyddog milwrol ym Mardd yr Haf, ac yn Ebrill 1917 fe'i symudwyd i wersyll yr R.G.A. (Royal Garrison Artillery), Mornhill, Caer-wynt, yn filwr cyffredin.

95. Rhan o lythyr hir (8 tudalen) Williams Parry at Annie Ffoulkes, 25 Chwefror, 1917. Ysgrifennwyd y llythyr yn Y.M.C.A., Hetherfield Cadet School, Berkhamsted. Yn gynwysedig ynddo ceir copi o'i delyneg newydd 'Yr Aflonyddwr', a luniwyd ryw nos Sul, 'Ynghanol twrw llestri tê y Y.M.C.A. yma . . .'. Ar gais Annie Ffoulkes y canwyd y delyneg, ar gyfer ei chynnwys yn *Telyn y Dydd*, y flodeugerdd yr oedd hi yn ei chasglu. 'Ma chère amie', yw cyfarchiad Williams Parry i'r athrawes Ffrangeg, ac fe'i harwyddodd, 'Llion, Bardus'.

96. Hugh Hughes, brodor o Faenan ger Llanrwst, llun o albwm ffotograffau Myfanwy Williams Parry. Daeth 'Shoeing Smith Hugh Hughes' a 'Gunner R.W. Parry' yn gyfeillion agos pan oeddynt yng ngwersyll Mornhill, Caer-wynt. Dyma Hugh Hughes yn adrodd sut y cyfarfu gyntaf â Williams Parry:

'Er bod dros ddeugain mlynedd wedi mynd heibio, clywaf swn ei droed yn cyrraedd Cwt 48, Mornhill, Caer-wynt, fel pe bai neithiwr. Yr oedd yn noson wlyb ac oer yn Ebrill, 1917, ychydig cyn hanner nos. Am ryw reswm, yr oeddwn i wedi deffro, a deëllais mai rhywun dieithr a oedd yn ceisio agor y drws. Yr oedd *Lights out* y biwglar wedi ei seinio er deg o'r gloch fel arfer . . . Codais ac agorais y drws iddo. Gofynnais iddo (yn Saesneg, wrth gwrs):

"Do you want somewhere to put your head down old boy?"
"Yes, please," ebr yntau.
"Alright, come and lie by my side here."
"Thank you very much, brother," ebr ef . . .'

Drannoeth, wrth fynd am y cafnau ymolchi, a Hugh Hughes yn mwmian canu hen alaw Gymraeg, fe ddeallod Williams Parry mai Cymro oedd ei gydymaith.

'"Fachgen," meddai, "arhoswch funud, Cymro!"
"Wel, frawd annwyl, ia, Cymro bob modfedd," wedi fy syfrdanu, a 'syrfdan y safodd yntau'.
"O b'le yr ydych yn dŵad, frawd annwyl?"
"O Lanrwst" . . .
"Wel, a gaf innau ofyn o b'le yr ydych chi'n dod?"
"O Dal-y-sarn, yn Sir Gaernarfon," atebodd yntau.
"A beth yw'r enw?'
"Robert Williams Parry."
"Y nefoedd fawr! Nid bardd yr Ha' ydach chi?" gan syllu'n sobr arno.
"Ie. 'Wyddoch chi rywbeth amdano fo?" gan wenu arnaf.
"Gwn, ychydig," meddwn innau. "'Roeddwn i yn Eisteddfod Bae Colwyn yn 1910, a chofiaf y beirniad yn traethu ei feirniadaeth ar 'Awdl yr Haf' . . .'

Hugh Hughes, 'Oriau Gofir a Gefais',' *Yr Eurgrawn*, Mai 1958; ailgyhoeddwyd yn *Cyfres y Meistri 1: R. Williams Parry*, Gol. Alan Llwyd

96

97. Y cyntaf a'r olaf o'r pum englyn a ganodd Gunner R. Williams Parry i Idris, baban bach ei gyfaill Hugh Hughes. Ymddangosodd yr englynion i ddechrau yn *Cydymaith*, Cylchgrawn Cylchdaith Llanrwst y Wesleaid, rhifyn Tachwedd 1918-Ionawr 1919, a'u hailargraffu yn *Yr Eurgrawn*, Mai 1958.

'. . . Cyn gadael Caer-wynt, ar y 24ain o Fehefin [1918], gwneuthum rhyw bum englyn i blentyn bach cyfaill calon i mi tra thariwn yn Winchester.

"Llanrwst" y galwn i a phawb arall ef, ond Hugh Hughes ei enw, gwr [sic] ieuanc llengar o ger Maenan, Llanrwst, yn yn [sic] Wesla o'r Wesleaid!! Nid wyf yn credu i mi dreulio cymaint ag un min nos yn ystod y pedwar mis ar ddeg yng ngwersyll y R.G.A. yn Winchester heb fod "Llanrwst" gyda mi. "Bachan bidir yw e": ac yr ydym yn gohebu yn rheolaidd er pan ymadewais âg [sic] yno.'

Rhan o lythyr a anfonodd 158344 Gunner R. W. Parry o'r A.A. Gun Station, Billericay, Essex, 25 Medi, 1918 at y Parch. D. Tecwyn Evans. Argraffwyd yn *Yr Eurgrawn*, Mai 1958

98. Hugh Hughes, flynyddoedd ar ôl y Rhyfel, gyda'i barti canu penillion.

Fe barhaodd y cyfeillgarwch rhwng Hugh Hughes a Williams Parry drwy gydol oes y bardd. Ar ôl y Rhyfel aeth Hugh Hughes yn giard ar y rheilffordd rhwng Cyffordd Llandudno a Blaenau Ffestiniog, gan ymgartrefu yn y Gyffordd. Bu'n gydymaith ac yn ddinas noddfa i Williams Parry ar gyfnod blin yn ei hanes. Yn ei galar ar ôl colli ei gŵr, bu Myfanwy Williams Parry yn aros am rai dyddiau ar aelwyd ei hen gyfaill a'i wraig yng Nghyffordd Llandudno.

97

Darlun Idris

Cyntaf-anedig fy nghyfaill

Y Shoeing Smith H. Hughes, Bryn, Nebo, Llanrwst.

Mae'i wedd, wirionedd innau, – yn gariad
    O'i gorun i'w sodlau:
    Dau rosyn coch, coch yn cau
    A roddwyd ar ei ruddiau.

Er barnu braidd yn fuan – nid ydyw
    Ei dad a mi f'hunan
    Heb obaith y daw'r baban
    Yn rhywun mawr yn y man.

Billericay, Essex.   Gunner R. Williams Parry
Medi 1918.

98

99

99.   Hedd Wyn, Ellis Humphrey Evans, Trawsfynydd, gydag un o'i chwiorydd, Mary. Ddydd y cadeirio, 6 Medi, 1917, yn Eisteddfod Birkenhead, cyhoeddwyd mai *Fleur de Lis*, sef Hedd Wyn, oedd y bardd buddugol, a'i fod wedi cwympo ym mrwydr Cefn Pilkem, 31 Gorffennaf, 1917. Er na fu ond ychydig o gyfathrach rhwng Williams Parry a Hedd Wyn fe'i cynhyrfwyd yn fawr gan y newydd am ei farwolaeth, yn ôl tystiolaeth Hugh Hughes. Fe afaelodd yr englynion coffa a ganodd Williams Parry i Hedd Wyn yn nychymyg y genedl. Edrydd Williams Parry ei hun hanes eu cyfansoddi mewn llythyr at Kate Roberts, 27 Ionawr, 1946:

'. . . nyddais yr wyth englyn . . . ar un eisteddiad megis, a hynny wrth wrando (!) pregeth mewn capel yn Winchester. Yr 'Amen' ar y diwedd a'm deffroes o'm per lewyg. Wrth gwrs cabolais beth arnynt drannoeth.'

Dyfynnir yn *R. Williams Parry : Dawn Dweud*,
Bedwyr Lewis Jones

Ategir yr hanes hwn gan Hugh Hughes a oedd gyda'r bardd yn y capel.

100

Hedd Wyn.

I.

Y bardd trwm dan bridd tramor, — y dwylaw
Na ddidolir rhagor:
Y llygaid dwys dan ddwys ddôr,
Y llygaid na all agor!

Wedi ei fyw y mae dy fywyd, — a'th rawd
Wedi ei rhedeg hefyd:
Daeth awr i fynd i'th weryd,
A daeth i ben deithio byd.

Tyner yw'r lleuad heno — tros fawnog
Trawsfynydd yn dringo:
Tithau'n drist a than dy ro
Ger y Ffos ddu'n gorffwyso.

Trawsfynydd! Tros ei feini — trafaeliaist
Ar foelydd Eryri:
Troedio wnest ei rhedyn hi,
Hunaist ymhell ohoni.

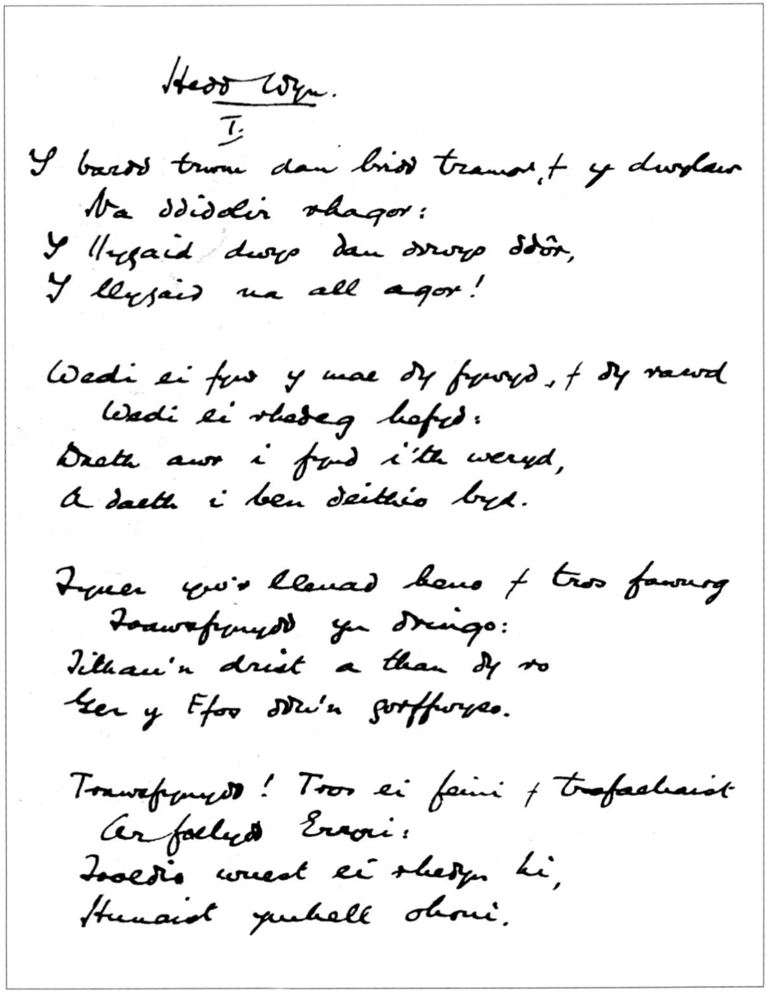

100. Pedwar o'r englynion coffa i Hedd Wyn yn llaw Williams Parry.

101 a/b. Rhannau o lythyr, dyddiedig 28 Ionawr, 1918, gan Williams Parry o'r gwersyll ym Mornhill at T. H. Parry-Williams, ei gefnder. Mae dalen ar goll o'r llythyr.

Teifl y llythyr oleuni eglur ar agwedd Williams Parry at fywyd yn y Fyddin:

101a

Hut 9, "L" Lines,
"X" Battery C.G.A.,
Mornhill,
Winchester.

28.1.'18

F'annwyl Tom,—
Maddeu i mi am fod cyhyd cyn ateb dy lythyr. Dywedai fy nhad iddo dy gyfarfod yn rhywle a'th fod yn deall dy fod wedi gyrru [illegible]. Wel, un yn unig a dderbyniais i. Ond nid yw ryfedd yn y byd hynny: collwyd "amrai" lythyrau a yrrwyd i mi i Berkhamsted, ac a [illegible] oddiyno i Winchester.
Wel, sut hwyl sydd arnat ti? Wyddost ti pwy sydd yn eistedd wrth fy ochr yn sgwennu llythyrau yn

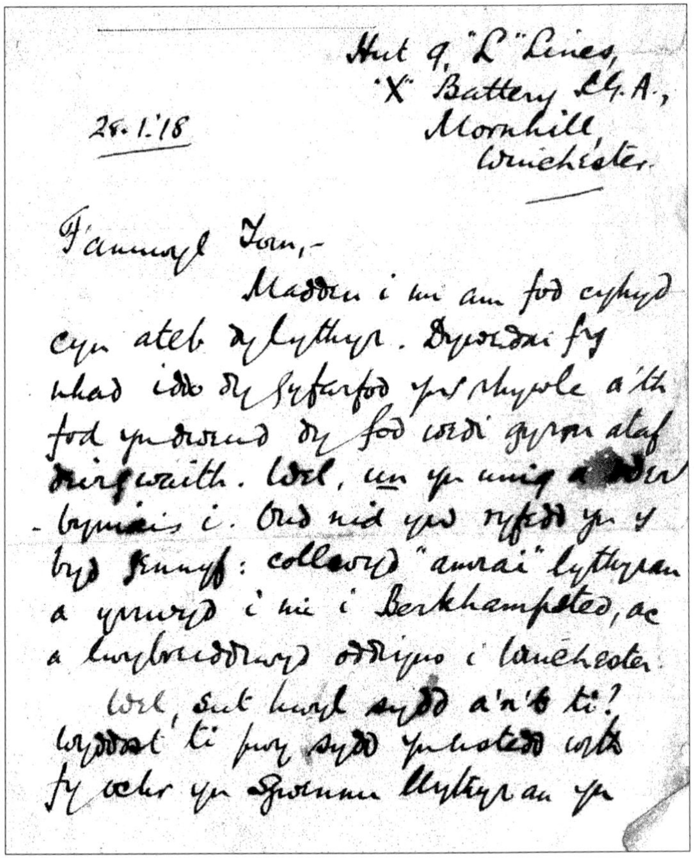

''Rwyf wedi rhoi heibio i flino ar y fyddin, nes mae blinder wedi mynd yn serch i mi bron. Pe cawn ddod yn rhydd o'm cadwynau yfory, wn i ddim a fedrwn fod yn hapus heb eu tinc ai peidio . . . Os caf fyw i ddod yn ol, ac i rodio eto fy hen lwybrau, ac iddi fynd yn rhyfel eto, fe saethaf y cyntaf a ddaw ataf i ofyn imi roi dillad y brenin am danaf eilwaith, a saethaf fy hun uwchben ei gorff.'

Ond trwy'r cwbl, fe fu cyfnod Williams Parry yn y fyddin yn gyfnod cynhyrchiol iddo fel bardd, fel y dengys yr englynion coffa niferus, a'r sonedau a cherddi eraill a geir yn *Yr Haf a Cherddi Eraill.*

101b

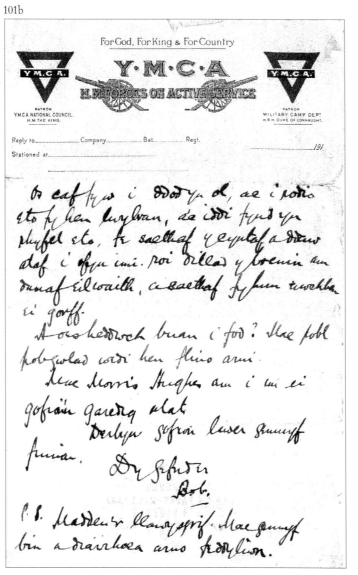

102

102.   Dau gyfyrder i Williams Parry: Robert Einion Williams (yn eistedd), a'i frawd iau, John Emrys, o Ben-y-groes, Dyffryn Nantlle. Lladdwyd Robert Einion ger Arras, yn Ffrainc, ar 19 Medi, 1918, ychydig wythnosau cyn y cadoediad. Yr oedd yn wrthwynebydd cydwybodol, a gwasanaethai yn adran feddygol y Fyddin, yn gweini ar y clwyfedigion ar faes y gad. Canodd Williams Parry nifer o englynion er cof amdano (*Yr Haf a Cherddi Eraill*, XLV).

103

Er cof am Robert Einion Williams, R.A.M.C.
~~Workhouse~~ Penygroes. (gynt o Danrallt).

Heb ffrwst ac heb drwst y rhos - i eraill
  Ei oen tra gallodd:
Fe wnai a fedrai o'i fodd,
a thawel y pyorthwyodd.

Wrth glewffus ddinerth gleifion, - wrth y dewr
  Aeth i daith y dewrion,
Wrth ysig, friwiedig fron,
Tyner fu Robert Einion.
  A'i
Ei ddwylaw curymai ddolur - y gwr llesg
  Ar y llawr di-doster.
Llariaidd y'i caed lle 'roedd cur,
agosaf gyda'i gysur.

Yntau'r blin, 'rol tair blyned - o roddi
  I'r eiddil, yngeledd,
O'r rhuthr hir aeth ar onwedd
In Ffrainc mewn digyffro hedd.

Ar brys rhyw Eglwys y'i rhoed - i onwedd
  In awr ieuengoed:
In fab o fro ei faboed,
Ae yn rhwym mewn cynnar oed.

Boed ei hwyrol baderau - yn felys
  O foliant i'w anian:
Uwch ei lwch boed ei chlychau
In llafar oll i'w fawrhau.

                              R. Williams Parry.

104

IN MEMORY OF
54311
PTE WILLIAMS R.E.M.M.
61ST FD AMB
KILLED IN ACTION
18·9·18

Coffadwriaeth
Y Cyfiawn
Sydd
Fendigedig

105

103. Yr englynion i Robert Einion Williams a anfonodd Williams Parry at E. Morgan Humphreys, golygydd *Y Genedl Gymreig.* Fe'u hanfonodd o 'A.A. Gun Station, Billericay, Essex, ar 5 Tachwedd, 1918, a chyhoeddwyd hwy yn *Y Genedl* ar 12 Tachwedd, 1918. Newidiodd y bardd beth arnynt cyn eu cyhoeddi drachefn yn *Yr Haf a Cherddi Eraill.*

Meddai Williams Parry, yn ei lythyr at E. Morgan Humphreys:

'Yr wyf yn anfon ychydig englynion er cof am gyfyrder i mi a gwympodd yn ddiweddar yn Ffrainc: yr oedd y llanc mwyaf *chivalrous* a dilychwin a gyfarfûm erioed. Byddaf yn dra diolchgar os medrwch wneud lle iddynt yn y *Genedl,* er fy mod yn gwybod fod gofod yn brin.'

104. Y groes ar fedd Robert Einion ym mynwent Sucerie, Ablain St. Nazaire.

105. Robert Pritchard Evans, M.A. Melin Llecheiddior, yn Eifionydd, ffrind Williams Parry yng Ngholeg Bangor. Arferent grwydro Eifionydd a'r Lôn Goed gyda'i gilydd. Bu farw o'i glwyfau yn Ffrainc, 11 Ebrill, 1917, yn 32 mlwydd oed. Hanner blwyddyn yn ddiweddarach, ar 20 Hydref, 1917, collwyd ei frawd iau O. E. Evans yn Ffrainc, yntau yn marw o'i glwyfau.

106. Englynion coffa, yn llaw Williams Parry, i'w gyfaill Robert Pritchard Evans, Melin Llecheiddior, a'r englyn iddo ef a'i frawd sydd ar y maen coffa ym mynwent Llanfihangel-y-Pennant. Gweler *Yr Haf a Cherddi Eraill*, XLVI.

107. Y maen coffa marmor i'r ddau frawd o Felin Llecheiddior, gydag englyn Williams Parry wedi ei dorri arno, ym mynwent Llanfihangel-y-Pennant, Cwm Pennant.

108. Englyn Williams Parry ar y gofeb ryfel ym mhentref Pen-y-groes.

106

Ysgolhaig.

Lleuenais oedd fel hwyrnos haf, + llariaidd iawn
Fel lloer drwys goffennaf:
O'r addfwyn yr addfwynaf,
Ac o'r gwŷr y doren gaf.

Ei wlad ni chadd ei ludw, + cudd yn Ffrainc,
Dan ei phridd, mae 'nghadw:
Ei gerddi teg roddo'n tŷ
Ar feforiwr fu farw.

Eifionydd a fu ... inni ... boredwys
O barwydydd trefi,
O na bae modd im roddi
Dy lwch yn ei hedrwch hi!

Fe Ddaw'r claf o'i ystafell + hyd y maes,
Ond mae un dirgelell
Na ry gam, er ei gynnell,
Dros y môr o dir dy wbell.

Ef a'i Frawd.

Nid fan hon y dwg hunant, + dros y mor
Dyrys maith gorffwysant:
Ond eu cofio'n gyson gant
Ar y mynor yn Mhennant.

107

108

109

Y RHYFEL MAWR
1914 — 1918
COFARWYDD
O
EDMYCEDD TRIGOLION DYFFRYN OCWEN
O ABERTH Y CWŶR DEWR HYN OR ARDAL
A GWYMPODD DROS EU GWLAD.

O COFADAIL COFIDIAU — TAD A MAM
TYDI MWY DRWY'R OESAU.
DDYSGI FFORDD I DDWYS COFFHAU
Y RHWYC O GOLLI'R HOGIAU.

110

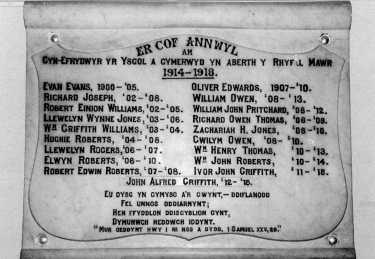

ER COF ANNWYL
AM
GYN-EFRYDWYR YR YSGOL A GYMERWYD YN ABERTH Y RHYFEL MAWR
1914-1918.

EVAN EVANS, 1900 - '05.   OLIVER EDWARDS, 1907-'10.
RICHARD JOSEPH, '02-'08.   WILLIAM OWEN, '08-'13.
ROBERT EINION WILLIAMS, '02-'05.   WILLIAM JOHN PRITCHARD, '08-'12.
LLEWELYN WYNNE JONES, '03-'06.   RICHARD OWEN THOMAS, '08-'09.
Wᴹ GRIFFITH WILLIAMS, '03-'04.   ZACHARIAH H. JONES, '08-'10.
HUGHIE ROBERTS, '04-'08.   GWILYM OWEN, '08-'10.
LLEWELYN ROGERS, '06-'07.   Wᴹ HENRY THOMAS, '10-'13.
ELWYN ROBERTS, '08-'10.   Wᴹ JOHN ROBERTS, '10-'14.
ROBERT EDWIN ROBERTS, '07-'08.   IVOR JOHN GRIFFITH, '11-'15.
JOHN ALFRED GRIFFITH, '12-'15.

EU DYSG YN GYMYSG A'R GWYNT, — DDIFLANODD
FEL UNNOS ODDIARNYNT;
HEN FFYDDLON DDISGYBLION GYNT,
DYMUNWCH HEDDWCH IDDYNT.
"MUR OEDDYNT HWY I NI NOS A DYDD, 1 SAMUEL XXV, 26."

111

MR. JOSEPH R. JOSEPH, B.A.

CREDWN mai dyddorol gan ddarllenwyr TRYSORFA'R
PLANT fydd ychydig o hanes y gwr ieuanc uchod, a fu
farw o'i glwyfau yn Ffrainc, yn 27 mlwydd oed. Mab
ydoedd i'r Parch. Edward Joseph, gweinidog gyda'r M.C.
yn Garn Dolbenmaen, Sir Gaernarfon. Ganwyd ef yn
Williamsburgh, U.S.A.; ond yn y flwyddyn 1890 ymfudodd
y teulu yn ol i'r wlad hon, gan ymsefydlu yn y Garn. Der
byniodd ei addysg foreuol yn Ysgol Cyngor y pentref âc
oddiyno enillodd ysgoloriaeth i Ysgol Sir Penygroes. Yn y
flwyddyn 1908 aeth i Goleg y Brifysgol ym Mangor, lle yr
arhosodd hyd 1912, pan yr enillodd y gradd o B.A., "with
double honours," cyn bod yn 21 oed. Yr oedd yn dra aw-
yddus i eangu cylch ei wybodaeth, ac er mwyn hynny aeth
drosodd i'r Almaen yn 1912. Treuliodd yr amser y bu yno
yn Essen a lleoedd eraill. Ar ol dychwelyd ymsefydlodd yn
Croydon, ac wedi hynny yn Farnham, ac yno yr oedd pan yr
ymunodd a'r fyddin, a gwnaeth hynny fel gwirfoddolwr

CHWEFROR, 1919

109.   Yr englyn coffa, gan R. Williams Parry, ar y gofeb ryfel ym Methesda – yr un englyn â'r un a welir ar y gofeb ryfel ym Mhen-y-groes.

110.   Y maen coffa yn Ysgol Dyffryn Nantlle i'r disgyblion a gollwyd yn y Rhyfel Mawr, gydag englyn coffa Williams Parry iddynt.

111.   Joseph Robert Joseph, mab y Parch. Edward Joseph a'i wraig, Garndolbenmaen, cydymaith Williams Parry yng Ngholeg Bangor. Bu farw o'i glwyfau yn Ffrainc yn 27 mlwydd oed. Mae'n un o'r 'Dysgedigion' y canodd Williams Parry iddynt yn *Yr Haf a Cherddi Eraill*, XLVII.

Druaned ei rieni ar y Garn
    Oer ei gwedd o'i golli!
  Cydymaith mewn coed imi,
  Mwyn ei lais ger Menai li.

112.   Capel y Methodistiaid Calfinaidd yn Pembroke Terrace, Caerdydd, yr oedd Williams Parry yn aelod ohono, ac yn fynychwr achlysurol ynddo.

112

113

113.   Oriawr a dderbyniodd Williams Parry gan Eglwys Pembroke Terrace, Caerdydd. Ar gefn yr oriawr fe ysgythrwyd: 'O ddiolch am ei arbed yn y rhyfel mawr'.
    Yr oedd wedi ei ryddhau o'r Fyddin yn Ionawr 1919, ac wedi dychwelyd i'w hen swydd yn Ysgol Uwchradd y Bechgyn, Caerdydd. Yn y ddinas câi gwmni dau o'i hen ardal, Idwal Jones, hen ffrind o ddyddiau ysgol a oedd yn glerc yn y gwasanaeth gwladol, a Major Hamlet Roberts: dau o 'hen gorlan criw diddan Caerdydd'. Fe gedwir yr oriawr yn Oriel Bangor.

114. Organ bibau Capel Pembroke Terrace. Hon oedd 'organ reiol' y soned 'Pantycelyn' gan Williams Parry.

Rhwng muriau'r demel neithiwr gwrando wnes
    Dy nwyd yng nghryndod dwfn yr organ reiol;
Dy odidowgrwydd ar y pibau pres,
    A'th bruddglwyf ar y delyn fwyn a'r feiol,
Nes dyfod esmwyth su'r deheuwynt ir
Oddi ar ganghennau pomgranadau'r Tir.

'Noson arall, mynd am dro i Benlan, Caerdydd. R.W.P. yn dotio at ei linell ei hun am Williams, 'Ganiadau crythor clir y Jiwbil bell'. Dywedai'r pryd hwn fod sonedau'n ffurfio yn ei feddwl bob nos. Fel pe bae rhyw 'prompter' anweledig yn eu rhoi iddo yn y tywyllwch.'

'Williams Parry a finnau', Stafford Thomas,
Yr Herald Cymraeg, 23 Ionawr, 1956

114

115. Ysgol Oakley Park, ger Llanidloes.
    Er mwynhau'r gwmnïaeth yn ninas Caerdydd, hiraethai Williams Parry am y wlad, ac aeth yn brifathro ysgol fechan yn ardal wledig, ddibentref, Oakley Park, gan ddechrau yn ei swydd ar 2 Mawrth, 1921.
    Ar ôl ei gyfnod hapus yng Nghefnddwysarn, efallai mai siom iddo fu ardal hanner-Seisnigedig Oakley Park, a'i ffermydd mawr gwasgaredig. Ymadawodd oddi yno ar 12 Rhagfyr yr un flwyddyn. 'Roedd wedi cael swydd darlithydd yn y Gymraeg yng Ngholeg y Brifysgol ym Mangor.

'Rhagfyr, 1921 – Cael fy mhenodi'n ddarlithydd mewnol ac allanol yng Ngholeg Bangor.'

'Bywgraffiad Byr', *Gwŷr Llên*

115

116. Rhan o lyfr lòg Ysgol Oakley Park yn llaw Williams Parry.

117. Dr Edward Rees, Caersŵs – Ap Gwyddon, Arwyddfardd yr Orsedd yn Eisteddfod Caernarfon 1921. Yn ystod ei gyfnod yn Oakley Park câi Williams Parry groeso ar aelwyd lengar y meddyg a'i wraig Awen Mona. Teithiai i Gaersŵs ar ei feic modur neu ar y trên.

116

193 *1921*

Mch. 31.

will be added to the Easter holiday. School will therefore break up today till Tuesday, Mch 29.

Only 16 children attended this afternoon out of a possible 38. The Registers were therefore not marked Apparently the absentees have attended the Unveiling Ceremony at Llandinam. The school was carried on as usual, though the Time Table was not strictly adhered to

117

118. Cerdd Williams Parry er cof am Ap Gwyddon yn llaw'r bardd.

118

Y Doctor
(Ap Gwyddon)

Mi fûm yn curo neithiwr
  Wrth hen gynefin ddrws
Groesawodd lawer teithiwr
  O Gymro drwy Gaersŵs;
Ond curo hir ac ofer fu,
Nid oedd y doctor yn ei dŷ

Bernais mai gweini cysur
  Yr oedd i'r claf a'r hen;
Neu'n frwd ar lwyfan prysur
  Yng nghwmni bodder llên.
Ond rhywun ddwedodd fel y bu
I'r doctor tirion newid. tŷ.

A thua'r newydd drigfan
  byrferiais drwy Gaersŵs,
Nes cyrraedd gwerdd unigfan,
  A churo wrth y drws:
Ac er mai curo ofer fu
Yr oedd y doctor yn ei dŷ.

R. Williams Parry

119. Athrawon a darlithwyr Coleg y Brifysgol, Bangor.

Yn Ionawr 1922, yn 37 mlwydd oed, newidiodd Williams Parry gwrs ei yrfa. Ar ôl bod yn athro ysgol am bymtheng mlynedd fe'i penodwyd yn ddarlithydd yn Adran Gymraeg Coleg y Brifysgol, Bangor, dan ei hen Athro, Syr John Morris-Jones. Ifor Williams oedd yr unig aelod arall o'r Adran.

> 'Swydd ddarlithydd Prifysgol go anarferol oedd swydd Williams Parry. Câi ei gyflogi yn rhannol fel cynorthwy-ydd i Syr John Morris-Jones ac Ifor Williams o fewn yr Adran Gymraeg, ac yn rhannol gan Bwyllgor Dosbarthiadau Tiwtorial i gynnal dosbarthiadau nos y tu allan i'r Coleg.'

> *R. Williams Parry: Dawn Dweud*, Bedwyr Lewis Jones

Yn y darlun, Robert Williams Parry yw'r pedwerydd o'r dde yn y rhes ôl. Ifor Williams yw'r trydydd, a Syr John Morris-Jones yw'r chweched o'r chwith yn y rhes flaen.

120. Ifor Williams, Syr Ifor Williams yn ddiweddarach, cyd-ddarlithydd R. Williams Parry ym Mangor, ac Athro Cymraeg y coleg maes o law.

121. Llun o Williams Parry a dynnwyd yn Awst 1922, ac yntau yn ddeunaw ar hugain oed. 'Roedd wedi treulio hanner blwyddyn yn ei swydd newydd yng Ngholeg Bangor, ac o fewn blwyddyn i'w briodas. Bu hi'n flwyddyn bwysig yn ei ddatblygiad barddonol yn ogystal: ym 1922 y cyhoeddwyd ei soned 'Y Llwynog', a ddengys ei fod wedi ymryddhau o'r dylanwadau rhamantaidd a fu arno cyhyd.

Ar gefn y llun hwn, a fu ym meddiant J. O. Williams, Bethesda, fe ysgrifennwyd: 'Cwm – August 1922'. Fferm ger pentref Llanarmon-yn-Iâl yw Cwm, ac yno y trigai David Hughes, ewythr Myfanwy Davies ei gariad, brawd ei mam. Flynyddoedd yn ddiweddarach fe fyddai Williams Parry yn ysgrifennu englynion coffa i'w gyfaill David Hughes (*Cerddi'r Gaeaf*, 'David Hughes, Llanarmon-yn-Iâl').

119

120

121

122

123

122. Priodwyd R. Williams Parry ac Elizabeth Myfanwy Davies, o Rosllannerchrugog, ar 4 Gorffennaf, 1923, yng Nghapel Seion, Wrecsam. J. J. Williams, Bethesda, oedd y gwas, hen ffrind o ddyddiau Ysgol Sir Caernarfon, a Sarah Margretta Davies (Gretta), chwaer hynaf Myfanwy, yn forwyn. Yng nghorff yr un flwyddyn, priodwyd Olwen a Gretta, chwiorydd Myfanwy.

'Very quietly' oedd disgrifiad un papur newydd o'r priodi, ond fe gafwyd pryd o fwyd yn y Wynnstay Hotel, Wrecsam. Treuliwyd y mis mêl yng Nghernyw.

Tynnwyd y llun rywdro ym 1923 gan Wickens, y ffotograffydd, ym Mangor. Ar gefn y llun fe ysgrifennodd Myfanwy: '1923, blwyddyn ein priodas'.

123. Portread o R. Williams Parry, a dynnwyd, mae'n bur debyg, yr un diwrnod, ym 1923, â'r portread stiwdio ohono ef a Myfanwy.

124. Tystysgrif priodas Robert Williams Parry a Myfanwy. Fe sylwir fod oed y priodfab yn anghywir.

125. Capel Seion, Wrecsam, lle priodwyd Williams Parry a Myfanwy – capel a adeiladwyd gan T. Llewelyn Davies, tad y briodasferch. Mae'r capel, erbyn hyn, wedi ei ddymchwel.

126. 'Y ferch o fro Eglwyseg' – Myfanwy yn ifanc.

124
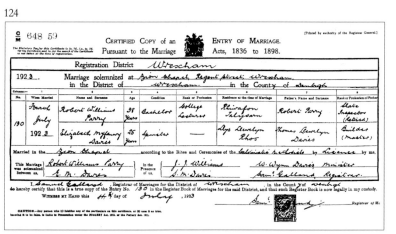

125

126

127

127. 'Bob yn Llandrindod' a ysgrifennodd Myfanwy dan y llun hwn o Williams Parry. Yn yr 'Emporium' yn Llandrindod y gweithiai Myfanwy cyn priodi: 'roedd wedi arbenigo ar wneud hetiau, ac wedi bwrw ei phrentisiaeth yn Llundain.

Edrydd Mrs Iola Parry, ei nith (merch Eirawen ei chwaer), sut y cyfarfu Myfanwy a Williams Parry am y tro cyntaf. Ger Llandrindod y bu hynny:

'Cofiaf fy mam yn dweud fel yr aeth fy modryb a'i ffrind am dro i'r wlad un dydd. Daeth dau lanc ifanc ar gefn motor beics! Yncl Bob oedd un – a dyna oedd dechrau'r garwriaeth.'

Ni wyddys pa bryd yn union y bu'r cyfarfyddiad hwn, a fu'n ddigwyddiad mor bwysig ym mywyd y ddau. Mae'n bosibl mai yn ystod cyfnod Williams Parry yn Oakley Park (1921). Yn sicr yr oedd ganddo feic modur pan oedd yno, ac nid oedd Llandrindod ymhell. Ynteu a olygai ei symudiad annisgwyl o'i swydd yn Ysgol Uwchradd y Bechgyn, Caerdydd, i ysgol fechan Oakley Park, ar gyflog is, ei fod eisoes wedi cyfarfod â Myfanwy, ac am symud yn nes ati?

128. Dyfyniad o ysgrif gan Gwilym R. Jones yn *Barn*, Mawrth 1984. Gwelir fod Gwilym R. Jones yn rhoi fersiwn gwbl wahanol o gyfarfyddiad cyntaf Williams Parry a Myfanwy. Rhaid credu mai tynnu coes ei gyfaill yr oedd Williams Parry wrth adrodd yr hanes rhyfeddol hwn wrtho.

129. Myfanwy yn eneth ieuanc, gyda'i gwallt yn blethen (yr ail o'r chwith yn y rhes flaen). Tynnwyd y llun yn siop ddillad C. D. Jones, Wrecsam, lle'r oedd yn gweithio.

128

'Rwy'n cofio holi Bob sut y cyfarfu â'i briod hardd, Myfanwy o'r Rhos. Dywedodd fod ei ffrindiau John Evan Thomas a W. T. Williams, Pen-y-groes, wedi trefnu yr hyn a eilw'r Saeson yn "blind date" ar ei gyfer. Yr oeddynt hwy i gyfarfod dwy ferch o ardal y Rhos, Wrecsam, ym Mangor y Sadwrn cyn y Pasg, ac yr oedd trydedd ferch i fod yn y cwmni — Myfanwy. Cyn gynted ag y cyrhaeddodd y partïon y cloc mawr ym Mangor dyna J.E.T. a W.T.W. yn "ei goleuo hi" efo'r partneresau a oedd ganddynt hwy, a gadael Bob Parry wyneb-yn-wyneb â'r drydedd ferch! Rhyfeddodd at ei phrydferthwch ac aeth yn fud. Aeth i sôn am y tywydd "ac ystrydebion felly", a methu'n lân â chael sgwrs gall. O'r diwedd mentrodd ofyn lle'r oedd hi'n debyg o fod ddydd Llun y Pasg gan awgrymu y carai ei gweled y diwrnod hwnnw.

"O na," meddai hi, "mae gynno ni Gymanfa Ganu yn y Rhos . . ."

"Mi welis i fod gwreiddyn y mater gan honno," ebe Bob wrth adrodd yr hanes wedyn. Ac nid rhyfedd iddi ddod yn briod iddo.

129

130. Myfanwy, ar y chwith yn y rhes ôl, gyda chyfeillion ar lan y llyn yn Llandrindod.

131. Williams Parry (yn y siwt ddu) yn Llandrindod.

132. Myfanwy, ar y dde, gyda'i chwaer hynaf Gretta. Ychydig amser ar ôl priodi daeth Gretta a'r teulu i fyw i Gaernarfon, a bu cyswllt agos rhwng y ddwy chwaer.

133. Llys Llywelyn, y tŷ a gododd Llewelyn Davies i'w deulu yn y Rhos, ar ôl symud yno o Wrecsam.

130

133

132

131

134. Teulu Myfanwy o flaen eu cartref, Llys Llywelyn, Rhosllannerchrugog. Y rhes flaen: y tad – T. Llewelyn Davies, Idris, Maldwyn, Gwladys, Elizabeth Davies, y fam, gydag Eirawen ar ei glin. Rhes ôl, o'r chwith: Gretta, Olwen, ac Elizabeth Myfanwy.

Mab Cefn Llwyd, Llanfaircaereinion, oedd T. Llewelyn Davies; yr oedd o gyff David Davies, Llandinam. Yn y Rhos, datblygodd yn adeiladydd ar raddfa eang: ymhlith yr adeiladau a gododd yr oedd tri chapel, sef Capel Ebenezer (Annibynwyr), a Chapel Salem (Annibynwyr) Rhosllannerchrugog, a Chapel Seion (Methodistiaid Calfinaidd) Wrecsam, ac Ysgoldy Capel Bethlehem, Rhos. Bu'n flaenor yn y Capel Mawr am ddwy flynedd ar bymtheg ar hugain.

O Lanarmon-yn-Iâl yr hanai Elizabeth Davies, ei wraig. Yr oedd o'r un teulu â Llwyd o'r Bryn.

134

135. Teulu Llys Llywelyn yn hŷn. Rhes flaen: Gretta, T. Llewelyn
Davies, Eirawen, Elizabeth Davies; rhes ôl: Elizabeth Myfanwy,
Olwen, Idris, Gwladys, Maldwyn.

136. Yng ngardd Tŷ'r Ysgol, Rhyd-ddu, gyda'i gefnder, T. H. Parry-
Williams (1887-1975), a'i ewythr, Henry Parry-Williams,
yr ysgolfeistr. Williams Parry yn y canol. Tynnwyd y llun ym 1919.
'Tom Rhyd-ddu, ei dad, a Bob yn yr ardd' a sgrifennodd Myfanwy
wrth ochr y llun yn yr albwm teuluol. (Fe sylwir fod plygiad anffodus
yn y copi o'r llun enwog oedd gan Williams Parry.) 'Tom Rhyd-ddu'
oedd y nesaf o ran oed i Williams Parry o'i gefndyr o ochr ei dad,
a bu cyfathrach agos rhyngddynt.

135

136

137

138

139

137.   Llun arall o'r ddau gefnder yn Rhyd-ddu.

138.   Thomas Parry (1904–85), y Gwyndy, Carmel, cefnder Williams Parry o ochr ei dad. Un o ysgolheigion amlycaf ei gyfnod. Yn y dyfyniad isod sonia am anniddigrwydd R. Williams Parry yng Ngholeg Bangor:

'Y mae'n deg dweud . . . nad oedd amgylchiadau nac arferion academaidd y cyfnod yn ei gwneud hi'n hawdd ar yr olwg gyntaf i gael cilfach gydnaws i ŵr [sef Williams Parry] oedd yn bennaf dim yn awdur creadigol, ac nad oedd yn honni bod yn ysgolhaig ond mewn un maes neu ddau yn ei bwnc; gŵr hefyd na theimlodd erioed yn gartrefol yn y Coleg . . .
    Ond yr wyf yn siŵr ei bod yr un mor deg dweud fod yma berson cwbl arbenigol, ar ei ben ei hun, unigryw, heb fod yn debyg i neb arall, a'r person hwnnw'n artist llenyddol mawr; person hefyd oedd yn gwbl ddifalais, na fyddai byth yn actio nac yn cymryd arno, a heb ddim byd anystywallt yn agos ato . . .'

'Enaid Digymar heb Gefnydd' (1972) gan Thomas Parry.
Codwyd o *Amryw Bethau* gan Thomas Parry (1996)

139.   Richard Parry (1910-75), brawd Thomas a Gruffudd Parry. Graddiodd ym Mangor, a threuliodd ei oes yn athro ysgol yn Llundain.

140.   Gruffudd Parry, gŵr llên ac athro Saesneg yn Ysgol Botwnnog, Llŷn, gartref ym Mhencraig Fawr, Sarn Mellteyrn.

141.   Teulu Pencraig Fawr: Gruffudd Parry a Catherine (Cit) ei wraig, a'u tair merch, a'u dwy wyres. Yn sefyll, o'r chwith, Siân, Enid, a Mai; yn y rhes flaen: Luned ar y chwith, a Bethan ar y dde, plant Enid.

140

141

142.   Bethesda – hen lun o'r pentref o albwm Myfanwy Williams Parry. Yma, mewn ardal chwarelyddol ddigon tebyg i Ddyffryn Nantlle, y dewisodd Williams Parry a'i wraig ymgartrefu ar ôl priodi, nid yng nghysgod y Coleg ym Mangor. Er mai pentref chwarel oedd Bethesda, fel yn Nhal-y-sarn, yr oedd gwlad hardd wrth garreg y drws.

Yr oedd y dauddegau yn gyfnod dedwydd a chynhyrchiol yn hanes y bardd, blynyddoedd cyfansoddi 'Eifionydd', 'Y Gwyddau', 'Yr Ieir', 'Y Gylfinir', 'Y Sguthan', 'Y Ceiliog Ffesant'. Bu'n brysur yn beirniadu, ac yn cyhoeddi ysgrifau ar bynciau llenyddol, ac ym 1924 cyhoeddodd ei gyfrol gyntaf: *Yr Haf a Cherddi Eraill.*

142

143

YR HAF

A CHERDDI ERAILL

R. WILLIAMS PARRY

Robt. Evans a'i Fab
Gwasg Y Bala
1924

143.   Tudalen-deitl *Yr Haf a Cherddi Eraill*, a gyhoeddwyd ym 1924.

'Y mae fy nyled yn fawr hefyd i hyfforddiant cynnar Hywel Cefni a'r diweddar Anant; i ysbrydiaeth darlithiau Syr John Morris-Jones; i ysbrydiaeth cyfeillach agos gwŷr fel W. J. Gruffydd, W. Hughes Jones, Silyn, Ifor Williams, Llew G. Williams, a J. J. Williams; yn olaf, ond yn bennaf, i esiampl fy meistr llenyddol, Thomas Gwynn Jones.'

Paragraff o ragair R. Williams Parry i
Yr Haf a Cherddi Eraill

Fe gyflwynodd y gyfrol i'w fam a'i wraig:

CYFLWYNEDIG

i

DDWY GYMRAES,
JANE A MYFANWY PARRY.

144

144. Kate Ellen Rowlands, Tynyfawnog, Tal-y-sarn, a fu farw yn dair ar ddeg oed ym 1909. Hi a gofféir yn y gerdd 'Geneth Fach' gan R. Williams Parry (*Yr Haf a Cherddi Eraill*, XXIX). Yn y gerdd hon, a ganwyd ym 1924, fe gân Williams Parry, nid yn unig am golli Kate Ellen Rowlands, a galar ei mam ar ei hôl, ond am brofiadau ei fam ei hun yn ogystal, oherwydd fe gollodd hithau ferch, Jane Elizabeth, ei chyntaf-anedig, yn dair ar ddeg oed, ar 3 Mai, 1886. Ychydig dros ei ddwyflwydd oed oedd Williams Parry pan gollodd ei chwaer. Bu'n rhaid iddo synhwyro presenoldeb yr angau yn gynnar ar ei fywyd.

Geneth Fach

Mae eithaf bymtheng mlynedd
  Er pan y'i rhoed mewn bedd;
Ond clir fel petai'r llynedd
  Yw'r atgof am ei gwedd
Pan ddifyr ganai fel y gog
Tan feini Tynyfawnog.

Ac erys co'r ysgariad
  Drwy'r maith flynyddau'r un;
Eu rhif ni chyfrif cariad
  Di-nam ei mam ei hun;
Ond cael ei chofio'n dair ar ddeg
Ni chwennych ddim ychwaneg.

145

146

145. Athrawon Ysgol Ganol Cefnfaes, Bethesda, Mai 1930:
J. J. Williams, y Prifathro, yn eistedd yn y canol; Gwilym Evans,
ffrind mawr Williams Parry, yw'r ail o'r dde yn y rhes ôl. Eluned
Jones, a ddaeth yn wraig O. M. Roberts, sydd ar y chwith yn eistedd
ar y glaswellt. Yn haf 1930 fe benodwyd O. M. Roberts yntau yn
athro yn yr ysgol.

146. Dau gyfaill, a'r ddau yn gyfeillion i Williams Parry: yn sefyll,
Gwilym Evans, ac O. M. Roberts yn eistedd. Brodor o'r Bala oedd
Gwilym Evans, a threuliodd ei oes yn athro yn Ysgol Cefnfaes.
Magwyd O. M. Roberts ym mro'r chwareli, ym mhlwyf
Llanddeiniolen, ac yn Llanrug. Ar ôl symud o Ysgol Cefnfaes, bu'n
brifathro Ysgol Deganwy, ac Ysgol Maelgwn, Llandudno. Daeth yn
ŵr amlwg gyda Phlaid Cymru ac mewn llywodraeth leol.

> 'Byddwn wrth fy modd yng nghwmni Williams Parry. 'Roedd
> yn llawn hiwmor a rhyw ddireidi hogynnaidd. Y tu allan i'm
> hystafell ddosbarth i yn y Cefnfaes 'roedd *ventilator* ar y wal a
> phan ddeuai'r bardd i'r ysgol ar ei dro siaradai trwy'r *ventilator*
> gan wneud y sŵn mwyaf ofnadwy yn yr ystafell a dychryn
> pawb. Cyn sylweddoli beth oedd wedi digwydd byddwn yn
> rhuthro allan a dyna lle byddai yntau yn chwerthin yn braf.'
>
> *Oddeutu'r Tân*, O. M. Roberts (1994)

147. Llun papur newydd o Gwilym Evans, yn chwarae biliards, wedi
ei lynu yn albwm lluniau Myfanwy a Williams Parry. Yr oedd
Williams Parry, yntau, yn hoff o'r gêm, er dyddiau'r Caffi yn Nhal-y-
sarn, a dyddiau coleg ym Mangor.
    'Roedd Gwilym Evans yn un o gyfeillion agosaf y bardd, a
threuliodd y ddau lawer o amser yng nghwmni ei gilydd. Bu'n
ffyddlon i Williams Parry trwy gyfnod hir ei salwch, a bu'n gefn i
Myfanwy ar ôl iddi golli ei gŵr.

147

'Anaml iawn pan oeddwn wrthyf fy hun gydag ef y soniem am farddoniaeth, ond iddo ef yr wyf i ddiolch am imi ddyfod i wybod am ddau awdur y cefais ddirfawr gysur o'u darllen. A. E. Housman oedd un. Un tro pan euthum i edrych amdano, yr oedd yn darllen *A Shropshire Lad*, a gofynnodd imi a oeddwn wedi ei weld. Atebais na chlywswn amdano, a dechreuodd yntau ddarllen rhai o'r caneuon. Yr oedd yn amlwg yn hoff iawn ohonynt . . . Credaf fod nodwedd debyg yn y ddau fardd – eu tristwch wrth feddwl am fywyd a marw, a'u cydymdeimlad dwfn â'r ddynoliaeth. Bardd arall a hoffai oedd W. H. Davies . . .'

'Atgofion am R. Williams Parry', Gwilym Evans,
Bethesda, *Yr Eurgrawn*, Mawrth 1957

148.   Toriad arall o bapur newydd, wedi ei lynu yn albwm Myfanwy ac R. Williams Parry – llun un o hoff awduron y bardd er yn blentyn: W. W. Jacobs (William Wymark Jacobs, 1863-1943). Yr oedd Wil Owen a ddarluniodd lyfrau straeon W. W. Jacobs yn gefnder i Mary Jones, gwraig William Meiwyn Jones, prifathro R. Williams Parry yn Nhal-y-sarn. Dyna, o bosibl, sut y gwyddai Williams Parry am W. W. Jacobs mor gynnar.

'Yr oedd byw a marw yn rhyw ddirgelwch dwfn iddo, a chredaf fod rhyw haen o dristwch bob amser yn ei isymwybod. Hwyrach mai dyna paham y câi'r fath hwyl ar ddarllen gwaith W. W. Jacobs. Gallai straeon hwnnw ei godi i dir chwerthin a llawenydd. 'Roedd gwaith Jacobs wrth ymyl ei wely bob amser.'

Gwilym Evans, *Llafar*, Haf 1956; ailgyhoeddwyd yn
Cyfres y Meistri 1: R. Williams Parry,
Gol. Alan Llwyd

149.   Heulfryn, neu Dŷ'r Ysgol, Carneddi, Bethesda. Bu R. Williams Parry a'i wraig yn byw mewn pedwar tŷ ym Methesda: 18 Hyfrydlas Road; Heulfryn sef hen Dŷ'r Ysgol, Carneddi; 10 Stad Coetmor (gynt Rhif 20), a 3 Stad Coetmor.

148

149

150

151

152

150.   3 Stad Coetmor, ar gwr isaf Bethesda, lle treuliodd y bardd flynyddoedd olaf ei oes.

151.   Capel Jerusalem, Bethesda, lle'r oedd Williams Parry a'i wraig yn aelodau.

152.   R. Williams Parry a Myfanwy yn Llundain gydag Evan Richard Jones, prifathro Ysgol y Carneddi, Bethesda, a'i wraig.

153

153. R. Williams Parry wrth lyw un o'i foduron cynharaf. Wrth ei ochr, J. O. Williams, ac yn y cefn Mrs J. O. Williams a Myfanwy.

154. Y Gymdeithas Ddrama Gymraeg, Coleg Bangor, a sefydlwyd ym 1924 gyda R. Williams Parry yn Llywydd arni. Fe gyfieithodd ef ddwy ddrama ar gyfer y Gymdeithas, sef *Jane Clegg* gan St. John Ervine, ac *Outward Bound* gan Sutton Vane, dan y teitl *Gadael Tir*. Perfformiwyd yr olaf ddwywaith, ym 1927 ac ym 1946.

Williams Parry yw'r pedwerydd o'r chwith yn y rhes flaen, a J. J. Williams, y cyfarwyddwr, yw'r chweched. John Gwilym Jones yw'r ail o'r dde yn yr ail res – bu ef yn ysgrifennydd y Gymdeithas.

154

155

156

155.   Yn Eisteddfod yr Wyddgrug, fis Awst, 1923, gyda Llwyd o'r
Bryn (ar y chwith i'r darlun) a D. J. Williams (Llanbedr). Cofnododd
Myfanwy Williams Parry yn ei dyddiadur iddi hi a'i gŵr fynd i'r
Eisteddfod o'u carafán yng Ngwernymynydd, gerllaw'r Wyddgrug.
Newydd ddychwelyd o'u mis mêl yr oeddynt.

R. Williams Parry oedd beirniad y soned, 'Y Murddyn' (sic), yn yr
Eisteddfod, a chydfeirniadai'r cywydd, 'Abaty Basingwerk', gyda
John Morris-Jones : 'Beirniaid, Yr Athrawon Syr J. Morris Jones,
M.A., LL.D., a R. Williams-Parry, M.A.' Gosodwyd Eifion Wyn
a Caerwyn yn gydradd gyntaf ar y soned gan Williams Parry.

157

156.   Yn Eisteddfod Pont-y-Pŵl, 1924. O'r chwith: R. Williams Parry, Cynan, Gwynfor, D. T. Davies, a Robert Stephens, Ysgrifennydd yr Eisteddfod, brodor o Ddyffryn Nantlle. R. Williams Parry oedd beirniad y soned, a chydfeirniadai'r englyn gyda J. J. Williams. Eifion Wyn a ddaeth yn gyntaf yng nghystadleuaeth yr englyn. 'Roedd yn gyd-fuddugol ar y delyneg yn ogystal: y testun yn hunanddewisol. Y testun 'Cwm Pennant' a ddewisodd Eifion Wyn.

157.   Llun a dynnwyd, o bosibl, mewn Eisteddfod Genedlaethol. Saif Thomas Parry, ei gefnder, y tu ôl i Williams Parry.

158.   R. Williams Parry a J. W. Thomas, athro yn yr Ysgol Ganol, Blaenau Ffestiniog, yn Eisteddfod Machynlleth, 1937. Tynnwyd y llun gan y bardd W. H. Reese o'r Blaenau. J. W. Thomas oedd ei athro Cymraeg yn yr ysgol.

159.   R. Williams Parry, Crwys, a Bob Owen, Croesor.

158

159

160

160.   Rhan o lythyr dwy dudalen, nodweddiadol fanwl, Williams Parry at Lewis Valentine ynglŷn â llogi ystafell ym Methesda ar gyfer cyfarfod gan y Blaid Genedlaethol. Yr oedd Williams Parry, er nad oedd yn wleidydd wrth natur, yn rhan o hanes cynnar y blaid newydd (a sefydlwyd ym 1925) o ddyddiau'r Gymdeithas Genedlaethol Gymreig – 'Cymdeithas y Tair G' yng Ngholeg Bangor. Bu'n gadeirydd Pwyllgor Rhanbarthol y Blaid yn Sir Gaernarfon. Ond ni fyddai ef ei hun yn annerch cyfarfodydd: cynorthwyo yn y cefndir y byddai ef.

Sonia O. M. Roberts am R. Williams Parry yn ei groesawu i'w gyfarfod cyntaf o Gymdeithas y Tair G:

'Cefais fy nghroesawu i'r Gymdeithas [ym 1925] gan y Cadeirydd, yr unig aelod o staff y coleg a oedd yn perthyn iddi, sef Robert Williams Parry. "Ni ddylai unrhyw beth eich rhwystro rhag dod i'r cyfarfodydd," meddai, "ond angau neu rywbeth all esgor ar angau".'

Oddeutu'r Tân, O. M. Roberts

161.   Trydedd Ysgol Haf y Blaid Genedlaethol, yn Llandeilo, 1928. Williams Parry yw'r pedwerydd o'r dde yn yr ail res; ar ei law dde: Lewis Valentine, ac yna Morris T. Williams a'i wraig, Kate Roberts. Saunders Lewis sy'n drydydd o'r chwith yn yr ail res, ac O. M. Roberts yw'r seithfed o'r chwith yn y rhes ôl.

162.   Neuadd Mynytho, Llŷn.

'Ar Dachwedd 30ain, 1935, agorwyd Neuadd Mynytho yn swyddogol. Gwahoddwyd amryw o wŷr blaenllaw y genedl yno i annerch ac yn eu mysg Athro ein dosbarth, ond gwrthododd ef yn bendant addo siarad er y dywedodd y deuai yno – ac fe ddaeth.

Eisteddai ar y llwyfan yn y tu ôl, gymaint ag a allai o'r golwg . . .

161

162

Yn ystod y cyfarfod gofynnodd y llywydd, y diweddar Mr. D. Caradog Evans, Pwllheli, i Mr Williams Parry ddweud gair. Yn hynod ddiymhongar daeth ymlaen a dywedodd nad oedd ganddo ddim i'w ddweud ond ei fod wedi gwneud englyn bach i'r Neuadd:

Adeiladwyd gan Dlodi, – nid cerrig
    Ond cariad yw'r meini;
    Cydernes yw'r coed arni,
    Cyd-ddyheu a'i cododd hi.'

Charles Jones, aelod o ddosbarth Williams Parry ym Mynytho, *Llafar*, Haf 1956; ailgyhoeddwyd yn *Cyfres y Meistri 1 : R. Williams Parry*, Gol. Alan Llwyd

163

11. **Mynytho**. 1935-6 (2nd yr.)

This is a Class of extremely keen young people. Of the 20 students entered on the Register in 1935 only four were above 35 years of age. On the other hand no member under 20 has been enrolled. I should imagine the average age of members would be about 25.

The attendance percentage of the original students for the past session was 87; of the Added Students, 87. This averages 86.5: a very creditable figure considering that quite half the members have anything between a mile and a half and two miles to walk or cycle to the Village Institute situated on the exposed Mynytho Mountain.

Here again all the students except one (a man of about 65) submitted as much written work as was required of them. The quality of the essays was quite good.

The outstanding characteristic of this class is the liveliness of its discussions, and the searching questions asked the tutor from all and sundry (except the women members, who are in the minority). The two H.M.I. who visited the Class towards the end of 1935 were much impessed by the originality of the male members' posers.

If this Class has a successful third year, I shall certainly apply for a year's extensin at Mynytho. These young men would definitely benefit by an Advanced Course in Welsh Literature.

Although only one woman student was entered on the original roll, at least five other women attended regularly during the first year. These were therefore entered as added students this session.

163.   Rhan o adroddiad blynyddol Williams Parry (yn iaith swyddogol y Coleg), i Gofrestrydd Coleg Bangor, ar ei ddosbarthiadau allanol am 1935-6. Caiff dosbarth Mynytho glod arbennig.

164

165

166

166. Ar ymweliad â'r Lasynys.

167. Williams Parry, y pumed o'r chwith yn yr ail res, yn un o'r athrawon yn yr Ysgol Wyliau Gymraeg, 1924. Cynhelid yr ysgolion gwyliau am bythefnos bob blwyddyn, yng Ngholeg Harlech (a sefydlwyd ym 1927), a lleoedd eraill, ar gyfer aelodau'r dosbarthiadau nos.
Ym 1936, mewn llythyr at Gofrestrydd Coleg Bangor, mynegodd Williams Parry bryder na allai aelodau di-waith y dosbarthiadau fforddio mynd i'r Ysgolion Gwyliau, ac awgrymodd roi mwy o gymorth ariannol iddynt.

164. Trip Dosbarth Nantlle, a'u hathro, R. Williams Parry, yn sefyll o flaen Capel Coffa Henry Rees yn Llansannan. Tudur Roberts, prifathro Ysgol Nantlle, a hen gyfaill y bardd o ddyddiau Ysgol Sir Pen-y-groes, sydd ar law dde Williams Parry.

165. Gyda dosbarth Nantlle wrth garreg fedd Eben Fardd ym mynwent Eglwys Beuno Sant, Clynnog Fawr. Williams Parry yr ail o'r dde.

167

168. Ymhlith athrawon yr Ysgol Wyliau Gymraeg, 1926 – Williams Parry yn ail o'r dde yn yr ail res.

169. Yn yr Ysgol Wyliau gyntaf a gynhaliwyd yng Ngholeg Harlech, ym 1927. Williams Parry yw'r cyntaf ar y dde yn yr ail res o'r blaen, gyda Mrs Silyn Roberts yn eistedd wrth ei ochr. Y pumed o'r dde yn yr ail res yw Ben Bowen Thomas, Warden cyntaf Coleg Harlech.

168

169

170

170. Williams Parry yng Ngholeg Harlech gyda Bugeilfardd, sef Richard Griffith, fferm Hirwaun, ac yna Bugeilys Fawr, Rhoshirwaun. Yr oedd Bugeilfardd yn aelod o ddosbarth Williams Parry yn Rhoshirwaun, Llŷn (1929-1933); yn englynwr graenus, ac yn arweinydd eisteddfodau: gwladwr diwylliedig a fyddai wrth fodd Williams Parry. Yr oedd y llun hwn ynghadw yn albwm Myfanwy a Williams Parry.

'Yr oedd yn well gan Williams Parry y gwaith allanol. 'Doedd o ddim yn gartrefol o gwbwl o flaen dosbarth Anrhydedd; gymaint felly nes y byddai'n amau ei allu ei hun i ddysgu cwrs academaidd. Ond o flaen dosbarth ysgol nos yr oedd yn ddedwydd a hyderus. Yn Rhoshirwaun yn Llŷn, neu Langybi yn Eifionydd yr oedd yng nghanol pobl y wlad, yn ôl yn awyrgylch Cefnddwysarn. Yno gallai drafod crefft llenydda, heb fod arno unrhyw bwysau academaidd. Yr oedd y gwaith wrth ei fodd, yn enwedig pan fyddai aelodau ei ddosbarthiadau'n troi ato am farn ar eu gwaith llenyddol eu hunain.'

R. Williams Parry: Dawn Dweud, Bedwyr Lewis Jones

171.   Dwy gyfrol o farddoniaeth yr ysgrifennodd Williams Parry ragair iddynt: *Byr a Phert* William Griffiths a *Beirdd Meirion*.

171

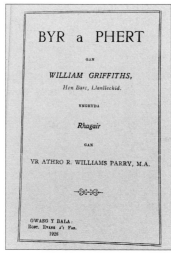
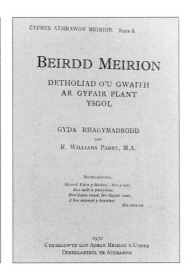

172

172.   Ben Jones, bardd, ac un o gyfeillion Williams Parry ym Methesda.

'Cyfarfûm a (sic) Bob Parry – dyna enw anwes R. Williams Parry i'w gyfeillion – gyntaf erioed yn Eisteddfod Genedlaethol Corwen ryw ddeugain mlynedd yn ôl. Cyflwynwyd ni i'n gilydd gan Mr. J. J. Williams, ysgolfeistr Ysgol Cefnfaes, Bethesda 'ma, y pryd hwnnw. Byth er hynny buom yn gyfeillion pur ffond o'n gilydd.

Cofiaf am ei lawenydd pan aem i grwydro mynyddoedd a rhodfeydd hyfryd y dyffryn hwn. Bûm gydag ef unwaith – rhyw Basg braf oedd hi – ar dipyn o wyliau hefyd. Aethom cyn belled â'r Cotswolds ac i lawr i Stratford-on-Avon.

Byddai wrth ei fodd yn sôn am 'gymeriadau' Dyffryn Nantlle. Byddai'n eu dynwared yn ddoniol iawn ac yn adrodd straeon hyfryd o'r dyffryn.'

'Cofio Cyfaill', Ben Fardd, *Y Faner*, Ionawr 25, 1956

173.   Myfanwy, Williams Parry, a
Mrs J. O. Williams – J. O. Williams ei
hun yn anweledig – y tu ôl i'w gamera.

173

'Bu cyfnod pan arferem – yn
bedwar eto – fynd bob dechrau
Gwanwyn tros y mynydd o
Fethesda, trwy Lanllechid a
throsodd i Aber. Taith o ddwy
awr neu dair yn ôl yr hamdden a
gymerem. Wedi cyrraedd pen y
bryn, yna eistedd am ychydig.
Ymhell o'r tu ôl inni, y ddwy
Garnedd, Dafydd a Llywelyn, ac
ardal Dyffryn Ogwen. O'n blaen,
gwaelod gwlad cyffiniau Aber,
Menai, a gwastadedd Môn.
Golygfeydd i'w cofio ar
ddiwrnod teg o Wanwyn.

Ond un tro, nid y Carneddau a
welem; nid Menai nac Ynys Môn,
na'r coed yn dechrau glasu, ond
rhyw lesni mwyn hudolus a
ymdaenai ymhell odanynt gan
bereiddio'r awyr a anadlem.
'Clychau'r Gog', fyrddiwn
ohonynt, yn gyfoeth afradlon . . .

Ymhell islaw inni, ac i
gyfeiriad Menai, cawsom gip ar
glochdy hen eglwys Llandygái yn
codi'n llwyd a distaw rhwng
brith lesni'r coed o'i gwmpas.'

J. O. Williams, *Y Genhinen*,
Gwanwyn 1956

174

Chwilota

Cân Newŷdd yn Rhoddi Allan y môdd y gall
Prydyddion cymmru fod o Wasaneth yw Gwlâd
yn y dyddiau Cyfing hyn trwy droi at waith
Difrif yw chanŷ ar swît Research neu
Ddifyrwch y bardd.

Pwysicach yw'r chwilotwr
　　Nag awdwr llyfr o gân;
Cans onid yw'r pysgotwr
　　Yn fwy na'r pysgod mân?
Rhof heibio i siarad drwy fy het
I stydio'r hen *North Wales Gazette*.

174.　Ym misoedd olaf 1928, yn sgîl ad-drefnu o fewn yr Adran Gymraeg ym Mangor, fe gododd camddealltwriaeth rhwng Williams Parry ac awdurdodau'r Coleg. Teimlai fod y Coleg wedi ei gamarwain ynghylch ei swydd ac yn dibrisio ei gyfraniad fel bardd a beirniad llenyddol. Teimlai mor ddwys ynghylch y cam tybiedig fel yr aeth ar streic lenyddol. Yn y gerdd ddychanol, 'Chwilota', a gyhoeddwyd ym 1931 (ac yna yn *Cerddi'r Gaeaf*), fe roes fynegiant i'w siom a'i chwerwedd. Parhaodd y streic am bedair blynedd. Ni chyhoeddai gerddi (gydag ychydig eithriadau), na beirniadu mewn eisteddfodau, nac adolygu. 'Clychau'r Gog', a gyhoeddwyd yn *Yr Efrydydd* fis Gorffennaf 1932, oedd y gerdd olaf a gyhoeddodd cyn ymwrthod â barddoni.

175.　Yn Haf 1936, fe dorrodd Williams Parry ar ei fudandod barddol pan gyhoeddodd ei gerdd 'A. E. Housman' yn *Y Llenor*. Ond tair seren, ac nid ei enw, a roddodd y bardd dan ei gerdd. Marwolaeth Housman ym 1936, bardd a edmygai Williams Parry yn fawr, a'i hysgogodd i ailddechrau cyhoeddi cerddi. Gallai ei uniaethu ei hun â Housman: yr oedd y ddau ohonynt wedi colli sicrwydd ffydd eu plentyndod, a gorfu iddynt wynebu'r byd a'i ofnau orau y gallent ar eu pennau eu hunain.

175

A. E. Housman

Nid ofna'r doeth y byd a ddaw
　　Ar ochor draw marwolaeth.
Ei ddychryn ef yw bod yn fyw:
　　Angheuol yw bodolaeth.

Heb honni amgyffred – ow! mor rhwydd –
　　Gwallgofrwydd creadigaeth,
Myfyria ar ei farwol stad,
　　A brad ei enedigaeth.

'A. E. Housman', *Cerddi'r Gaeaf*

176

177

177. Llun papur newydd o W. H. Davies (1871-1940), un o'r beirdd 'Sioraidd' a hoffai Williams Parry, wedi ei lynu yn ei gopi o *The Poems of W. H. Davies*. Anrheg gan ei wraig Myfanwy oedd y gyfrol, ac fe ysgrifennodd hi arni: 'I Bob oddiwrth Myfanwy Mawrth 1936'. Ceir pum cyfrol o waith W. H. Davies ymhlith llyfrau llyfrgell Williams Parry a gedwir yn y Llyfrgell Genedlaethol.

'Y bardd Saesneg a gysylltir ag R. Williams Parry fel arfer yw A. E. Housman. Ond nid Housman oedd y prif ddylanwad arno, ond yn hytrach W. H. Davies (1871-1940), bardd yr oedd gan R. Williams Parry gryn feddwl ohono. Ym mis Mai 1932, cyhoeddodd *Y Ford Gron* sgwrs radio a draddododd R. Williams Parry ar W. H. Davies a Dafydd ap Gwilym o dan y teitl 'Barddoniaeth Dau Dramp'.'

Alan Llwyd, *Barddas*, Rhifau 14 a 15,
Rhagfyr-Ionawr 1977-8

176. Ysbienddrych R. Williams Parry, a gedwir yn Oriel Bangor.

'Yn y cyfnod yma, fe'm trawyd i'n drwm â chlwy sbienddrych, hynny yw, cael gafael ar un ddwbl go dda yn eiddo i mi fy hun. 'Roedd Bob yn barod yn berchen un sengl – teliscôp. Byddai wrth ei fodd yn ei thrin, a threuliodd lawer awr broffidiol yn syllu drwyddi, a chanfod rhywbeth newydd a diddorol beunydd yn y pellterau distaw. Oni welodd o 'Sgyfarnog trwy Spienddrych' (sic) un tro, 'yn pori'n dawel a di-fraw'? Do siŵr, ac fe welodd cannoedd lawer o lengarwyr Cymru yr ysgyfarnog honno wedi hynny, a daliwn i'w gweld. Gan mor frwd yr aeth Bob fel syllwr, aeth hefyd yn gryn dipyn o feistr ar ei thrin, ac i'w gosod yn safon i bob gwydr arall a ddoi (sic) i'w law. Ac fe ddaeth amryw o dro i dro, ond yn ôl yr aethant!'

J. O. Williams, *Y Genhinen*, Gwanwyn 1956

178

179

178.   J. O. Williams, Bethesda (1892-1973), un o gyfeillion agosaf
R. Williams Parry; a'i wraig Edeila Wynne Williams: llun o albwm
Myfanwy a Williams Parry. Peiriannydd gyda chwmni trydan oedd
J. O. Williams – gŵr llengar, awdur nifer o lyfrau i blant, storïau
byrion, a chyfrol o ysgrifau: *Corlannau.*

'Rhai blynyddoedd yn ôl treuliasom – y ddwy wraig a ninnau –
ddarn o wyliau gyda'n gilydd yn Llundain. Os Llundain felly,
yna rhyw fath o raglen ymlaen llaw . . . *Y Zoo?* Wrth gwrs, i'r
dim. Cartre'r anghyffredin! Ac aeth y *Zoo* i ben y rhestr. Lle
gogleisiol inni a fyddai *zoo* Regents Park, lle i synnu a rhyfeddu,
yn arbennig felly i Bob. Oni fyddai yno 'ryfeddodau prin' i
'lwybreiddio' o'n blaen? Ac yntau – safai mor llonydd a difrif o
flaen ambell gaets, fel petai wedi ei barlysu gan 'sefydlog fflam'
llygaid y creadur gwyllt o'r tu mewn.

*   *   *

Un pnawn yno, yng nghanol tyrfa, â rhai Americanwyr
parablus yn eu plith, clywn Bob yn galw arnaf, "I say,
Kentucky, old boy," ac yna'n cerdded tuag ataf dan wenu'n
braf a tharo'i law ar f'ysgwydd. "Hullo, Alaska. I've missed
you," meddwn innau, ac i ffwrdd â ni dan chwerthin, ac o
olwg amryw a edrychai'n ddigon sarrug arnom.'

J. O. Williams, *Y Genhinen*, Gwanwyn 1956

179.   Oherwydd y cyfuniad ffodus fod J. O. Williams yn
ffotograffydd rhagorol ac yn ffrind i R. Williams Parry, fe gafwyd
nifer o bortreadau clasurol o'r bardd ganddo. Ond yn ôl tystiolaeth y
Dr John Llywelyn Williams, mab J. O. Williams, nid oedd Williams
Parry yn hoffi wynebu'r camera. Dyna'r rheswm, mae'n debyg, mai
nifer cyfyngedig o ffotograffau o'r bardd a dynnodd J. O. Williams.
Yng nghwrs y blynyddoedd, fe lwyddwyd i lunio amrywiadau ar y
lluniau hynny trwy ddefnyddio mwy o'r negydd, neu lai ohono.
Credir i'r lluniau sy'n dilyn gael eu tynnu tua 1930, pan oedd Williams
Parry yn byw yn Heulfryn.

180

181

182

180, 181, 182, 183.   Lluniau gan J. O. Williams.

183

184

184.   Y Tri a losgodd yr Ysgol Fomio ym Mhenyberth, Llŷn, Ddydd Mawrth, 8 Medi, 1936: Lewis Valentine, Saunders Lewis, a D. J. Williams.

Ni allai'r rheithgor ym mrawdlys Caernarfon, ar 13 Hydref, 1936, gytuno ar ddedfryd ar y tri. Ond er hynny, ymhen pum niwrnod ar ôl yr achos, ar 18 Hydref, fe benderfynodd Cyngor Coleg Abertawe atal Saunders Lewis o'i swydd. Fe gynhyrfwyd Williams Parry drwyddo gan y weithred hon. Yr oedd Saunders Lewis yn arwr ac yn ffrind iddo. Ceisiodd drefnu llythyr protest at Gyngor Coleg Abertawe, wedi ei arwyddo gan aelodau Adrannau Cymraeg y Brifysgol. Bwriedid i W. J. Gruffydd lunio'r llythyr.

185

```
                                          Heulfryn,
                                          Bethesda,
                                          N. WALES.
                                          Hyd. 27. 1936.

Annwyl Gyfaill,
          Nid cyn post y pnawn y cefais eich llythyr (eich cerdyn
yn hytrach) ddoe, pan oeddwn ar fin cychwyn am fy Nosbarth yn Nebo (Neebo;
chwedl Parry Sgwl Pen-y-groes ystalwm).

          Ni byddaf yn mynd i'r Coleg ar foreau Mawrth, ond euthum i
lawr yn unswydd i weld Ifor a Tom bore heddiw. Yr oedd Tom ar frys i ateb
'phone a ddaethai iddo, ond cefais ddigon o amser i ddweud fy neges wrtho,
a chytunai mai gwych o beth a fai protest oddi wrth staffiau'r Adrannau
Cymraeg. Felly yr oeddwn yn siwr ohono ef cyn mynd i fyny at Ifor.
          Cefais dderbyniad siriol fel arfer ganddo, ond y peth
cyntaf a ddywedodd oedd na lofnodai ef mo'r protest ar gyfrif yn y byd.
Rhoes amryfal resymau dros ei safiad; megis ei fod yn erbyn Force o ba
gyfeiriad bynnag y delai; nad oedd yn cymeradwyo'r Llosgi; nad oedd am
i'r Cymry ddilyn esiampl y Gwyddelod &to. Yn anffodus daeth R.T.Jenkins
i mewn i'r ystafell, ac ymroes i borthi Ifor hynny aallai. Ond dyma Tom
i mewn, a dadlau nad oedd dulliau'r Gwyddelod i'w cymhatu am funud a
dulliau'r Tai. Ond dal yn gyndyn a wnai'r hen ddyn. 'Wel', maddaw i, 'a
wyt ti am i'r protest gynnwys enw pawb ond d'enw di?'. 'Mae hwnna'n sylw
annheg', ebe R.T.J. 'Statement of fact' ebra finna'. 'R oedd yn rhaid i
Ifor fynd am ei ddarlith, gyda dweud, 'Ydw'', os felly y bydd hi'.
          Dyma fy report i chwi, ynteu, fod dau o Fangor yn barod i
lofnodi'r protest i Gyngor Coleg Abertawe. At eich tri chwi yna , gyda
phedwar o dead certs o Aber, dyna naw allan o dri ar ddeg. Ni byddai'n
deg erchi Steve Williams, a gwyr pawb beth a wna Harry Lewis. (Gyda llaw,
ni chredaswn i fod H.L. yn gymaint o outsider, oni buasai glywed gan un
o'r ysgolfeistri uchaf ei barch yn y sir yma fod H.L., mewn Ysgol Haf yn
Rhydychen drannoeth y llosgi, yn mynd oddi amgylch gan chwythu bygythion
a chelaneddau, gan ddywedyd, "Os rhai fel hyn sy'n mynd i achub Cymru,
Duw a helpo Cymru!". Gofynnaf i chwi, 'A allai ddiawl ddoedyd yn amgen?'.

          Gwenais pan ddarllenais y frawddeg honno o'ch cerdyn lle
gofynnwoh i mi ddrafftio llythyr! Chwi oedd y gwr a awgrymai Jac Daniel a
J.E.Jones yn Swyddfa'r Blaid nos Wener; a chwi a awgrymai pawb a'ch clyw-
odd yng nghyfarfod Pwllheli. Fodd bynnag, gan eich bod yn gofyn am
bwyntiau, beth am y rhain? (1). Bydd i ddyfarniad Cyngor Coleg Abertawe
ddylanwadu'n annheg er ddedfryd y deuddeg nesaf o reithwyr (2). Mwy
```

186

185. Rhan o gopi carbon Williams Parry o'r llythyr a anfonodd at W. J. Gruffydd ar 27 Hydref, 1936, pan geisiai drefnu llythyr protest at Gyngor Coleg Abertawe. Fe wyddai yn barod na fyddai dau o brif ysgolheigion y Gymraeg yn arwyddo, sef Ifor Williams ym Mangor a Henry Lewis yn Abertawe. Yn y diwedd, i'r gwellt yr aeth y llythyr protest.

Fe symudwyd achos y Tri o Gaernarfon i Lundain, ac yno, ar 19 Ionawr, 1937, fe'u dedfrydwyd i naw mis o garchar.

186. Pan ryddhawyd y tri o garchar, ddydd Sadwrn, 28 Awst, 1937, yr oedd R. Williams Parry yn Llundain i'w croesawu. Tynnwyd y llun hwn, ddiwrnod y rhyddhau, y tu allan i'r Cadogan Hotel, Sloane Square, yn Llundain. O'r chwith: Griffith John Williams, D. J. Williams, R. Williams Parry, Saunders Lewis, J. E. Daniel, a Lewis Valentine.

187. Yn y sonedau 'J.S.L.' a 'Cymru 1937', a 'Y Gwrthodedig', a cherddi eraill, ceir ymateb ffyrnig a chwerw Williams Parry i ddiarddel a diswyddo Saunders Lewis, a'r diffyg cefnogaeth iddo o fewn Adrannau Cymraeg y Brifysgol, ac i farweidd-dra pobl Cymru yn gyffredinol.

188. Cyfarchiad Saunders Lewis ar ddalen deitl ei gyfrol o farddoniaeth, *Byd a Betws* (1941), a anfonodd yn anrheg Nadolig i R. Williams Parry, ym 1941:

'I'r meistr a'r mwyaf ohonom, Robert Williams Parry, oddi wrth edmygydd anheilwng, Saunders Lewis. Nadolig 1941.'

Mae geiriad cyfarchiad Saunders Lewis yn bwriadol adleisio llinell gyntaf 'Gwrthodedigion – Y Cyn-ddarlithydd' (1940), *Cerddi'r Gaeaf*:

'Y cyntaf oedd y mwyaf yn ein mysg.'

187

Disgynnaist i'r grawn ar y buarth clyd o'th nen
  Gan ddallu â'th liw y cywion oll a'r cywennod;
A chreaist yn nrysau'r clomendy uwch dy ben
  Yr hen, hen gyffro a ddigwydd ymhlith colomennod.
Buont ffôl. O wrthodedig, ffôl; canys gwae
  Aderyn heb gâr ac enaid digymar heb gefnydd;
Heb hanfod o'r un cynefin yng nghwr yr un cae-
  Heb gorff o gyffelyb glai na Duw o'r un defnydd.
Ninnau barhawn i yfed yn ddoeth, weithiau de
  Ac weithiau ddysg ym mhrynhawnol hedd ein stafelloedd;
Ac ar ein clyw clasurol ac ysbryd y lle
  Ni thrystia na phwmp y llan na haearnbyrth celloedd.
Gan bwyll y bwytawn, o dafell i dafell betryal,
Yr academig dost. Mwynha dithau'r grual.

188

*I'r meistr a'r mwyaf
ohonom,
Robert Williams Parry,
oddi wrth Edmygydd
anhysbys,
Saunders Lewis.*

Nadolig 1941.

189

190

189. Gyda Myfanwy a'r teulu.

190. 'Teulu nain, Bob a minnau' a ysgrifennodd Myfanwy Williams Parry wrth ochr y llun hwn.

191.   Rhan o lythyr a anfonodd Williams Parry at ei gefnder Thomas Parry ar 1 Awst, 1932. 'Roedd yn awyddus i gael gwybod rhag blaen pe byddai ei gefnder wedi ennill y gadair am ei awdl 'Mam' yn Eisteddfod Aberafan, 1932. Teifl y llythyr oleuni diddorol ar un o'r telegramau a anfonwyd at Williams Parry o Fae Colwyn ym 1910, pan enillodd y Gadair am 'Yr Haf'. Awgrymai, pe byddai ei gefnder yn anfon telegram, iddo ddefnyddio'r un côd ag a ddefnyddiodd Alafon, ddwy flynedd ar hugain ynghynt, wrth anfon neges gudd i Williams Parry o Fae Colwyn: 'Have found rooms for you, Tom.'

Annwyl Tom,
    Wedi marcio dim ond pedwar can papur eto! Rhag ych c'wilydd! Dyma fi wedi gorffen marcio ac wedi sgwennu f'adroddiad *Cymraeg,* ac y mae gennyf y pleser amheus o gyfieithu hwnnw i'r Saesneg heddiw.
    Gair ydi hwn i'ch atgoffa o'ch addewid i adael imi wybod pan gewch air. 'Rydym yn gadael yma fory am

c/o Mr a Mrs Hughes,
Cwm,
Llanferres,
Mold.

Ac y mae John a Dora a Gwyn yn dod yma b'nawn fory i aros tra byddwn ni i ffwrdd.
    Os byddwch yn gyrru gwifr, beth am "Have found rooms for you, Tom"? Dyna yrrodd Alafon i mi. Wedyn ceisiaf gael hyd i Wm. John (Parry) i ddathlu'r fuddugoliaeth mewn modd teilwng.

Cofion cynnes,
Bob.'

192.   'Yn yr Wyddgrug'. Myfanwy Williams Parry, Idris Foster, Mrs J. O. Williams, J. O. Williams, R. Williams Parry. Ni wyddys beth oedd y dyddiad na'r achlysur.

191

192

193

193.   Williams Parry y carafaniwr.

'Wrth sôn fel hyn am garafanio ni allaf beidio â meddwl am R. Williams Parry. Arferai ef fynd yn rheolaidd i wersylloedd carafanau mewn lleoedd poblog fel Y Rhyl a Phrestatyn a hyd yn oed arfordir dwyrain Lloegr. Y rheswm am hynny oedd ei fod yn cael perffaith lonydd mewn mannau felly: nid oedd neb yn ei adnabod na neb yn gofyn ei farn am ryw englyn neu gân byth a hefyd . . .

Aeth ef a Mrs Parry i Skegness un tro ac ar y ffordd yno 'roeddynt yn aros noson mewn rhyw gae. Ganol nos dyma'r cynnwrf rhyfeddaf: sŵn curo, a'r garafán yn cael ei hysgwyd yn chwyrn. 'Roedd y ddau wedi dychryn yn arw ond magodd y bardd ddigon o blwc i agor y ffenestr a gweiddi, '*Where's my gun?' 'Here it is, fully loaded!*' meddai Mrs Parry. Nid bod hynny wedi dychryn dim ar y defaid a bwniai'r garafán! Fel y dywedodd ef ei hun, 'Tipyn o sceg nes cyrraedd Skegness!''

Oddeutu'r Tân, O. M. Roberts

194a

'Ond yr wyf yn crwydro. Y peth nesaf a ddaeth i'm llaw oedd cerdyn post a anfonwyd imi o Dunstable, Sir Bedford, yng Ngorffennaf, 1938. Yr oedd y bardd ar ei ffordd gyda Mrs Williams Parry i garafanio yn Skegness, ac wedi aros ennyd yn Dunstable lle mae Sŵ agored. Ar y cerdyn post y mae darlun o siraff, ac ar yr ochr arall yr englyn hwn:

> Dyma frawd! Ymhyfrydi – yn ei wedd;
>   Hyn o'i wddf a weli.
>   A chreadur – oni chredi?
>   Meinach a thalach na thi!'

B.

Emrys Llywelyn Williams, Y Felinheli,
Y Genhinen, Gwanwyn, 1964

194.   Rhan o lythyr R. Williams Parry o wersyll carafanau Robin Hood, Y Rhyl, at Myfanwy. 'Roedd hi wedi dychwelyd i Fethesda, ar ôl ymweld â'i theulu yn y Rhos, mae'n debyg.

194b

195

197. Rhan o Raglen Cymanfa'r Brifysgol, a gynhaliwyd yn Neuadd y Ddinas, Caerdydd, 16 Gorffennaf, 1946, pan anrhydeddwyd R. Williams Parry â gradd D. Litt. Yn yr un seremoni derbyniodd Crwys Williams radd M.A. Cyflwynwyd y ddau fardd i dderbyn eu graddau anrhydeddus gan yr Athro W. J. Gruffydd.

'1944 – Ymddeol yn drigain oed heb freuddwydio am ddim anrhydedd.

1946 – Cael gradd D. Litt. gan Brifysgol Cymru. 'Gwell yw'r agwedd at y diwedd'.'

'Bywgraffiad Byr', *Gwŷr Llên*

197

195. 'Lluniau ohonom wrth y garafán yn Rhyl' oedd pennawd Myfanwy Williams Parry i'r llun hwn. O'r chwith: Williams Parry, Mrs Elizabeth Davies, Myfanwy, ac Agnes – gwraig Maldwyn Davies, brawd Myfanwy – a'u dwy eneth fach, Pat a Sheila.

196

196. Pennawd Myfanwy i'r llun: 'Caradog Pritchard, Bob a fi, a mam ei wraig yn Dunstable'.

Professor W. J. Gruffydd, *M.P.*, M.A., will present
   The Reverend WILLIAM CRWYS WILLIAMS
to receive the degree of *Magister in Artibus, honoris causa.*

Professor W. J. Gruffydd, *M.P.*, M.A., will present
   ROBERT WILLIAMS PARRY
to receive the degree of *Doctor in Litteris, honoris causa.*

Principal Ifor L. Evans, M.A., will present
   The Right Hon. ANEURIN BEVAN, *P.C*, *M.P.*,
to receive the degree of *Doctor in Legibus, honoris causa.*

Principal Ifor L. Evans, M.A., will present
   The Right Hon. JAMES GRIFFITHS, *P.C.*, *M.P.*,
to receive the degree of *Doctor in Legibus, honoris causa.*

198

R. W. PARRY 493   Coetmor
Bethesda,
Bangor.
Medi 20, '49.

[nodyn cerddorol gyda'r geiriau:]

Mae'r hon a gâr fy nghalon i
Ymhell oddi yma'n byw,
A hiraeth am ei gweled hi
A'm gwna yn ddrwg fy lliw.

Bob at Myfanwy.

199

Awst 11eg, 1953.

Present bach i'm hanwyl gariad
oddi wrth yr hen ŵr
Beibl i bawb o bobl y byd,
A *neilons* i'm hanwylyd.
Bob.

198.   Nodyn cerddorol Williams Parry at Myfanwy pan oedd hi oddi cartref, yn Rhosllannerchrugog, mae'n debyg.

Mae'r hon a gâr fy nghalon i
Ymhell oddi yma'n byw,
A hiraeth am ei gweled hi
A'm gwna yn ddrwg fy lliw.

199.   Cyfarchiad barddonol Williams Parry gyda'i anrheg benblwydd i Myfanwy:

Beibl i bawb o bobl y byd,
A *neilons* i'm hanwylyd.

'Cael pâr o sanne nylons ar fy mhen-blwydd gan Bob.'

O ddyddiadur Myfanwy Williams Parry,
dydd Mercher, 12 Awst, 1953

200

200. Mrs Iola Parry, Rhosllannerchrugog, nith Myfanwy Williams Parry (merch Eirawen Dodd, ei chwaer ieuengaf), yn dal y ces lledr a ddefnyddiai R. Williams Parry pan âi i ddarlithio i'r Coleg a'i ddosbarthiadau nos.

Yn eneth fach, oherwydd y bomio a fu ar y Rhos, bu'n aros ar aelwyd ei modryb a'i hewythr ym Methesda, ac yr oedd yn agos iawn at y ddau hyd y diwedd. Byddai Williams Parry a Myfanwy yn aros ar eu tro ynghartref Mrs Parry, sef Plas Rhosllannerchrugog. Dyma rai o atgofion Mrs Parry am ei hewythr:

'Edrychwn ymlaen at gêm fach arbennig Yncl Bob. Gemau i'n difyrru bob amser. Pêl fach mewn bocs – am y cyntaf i'w chael i mewn i'r twll. Ar ben y silff ben tân 'roedd 6c, 3c, a 2g. Bob amser gwobr ar y diwedd.

Caem droeon ar hyd y moelydd a'r ffyrdd. Cwestiynau di-rif. Pensil a phapur yn ei law. Tic ar bob ochr yn ymyl ein henwau. Cwestiynau tebyg i'r rhain oeddynt: Beth ydy enw'r goeden yna? Pa aderyn sy'n hedfan uwchben? Sŵn beth ydy hwnna? Pa aderyn sy'n canu? Beth ydy enw'r blodyn yna?'

201. Pennill a ysgrifennodd Williams Parry i Iola Dodd yn eneth fach, a'r llinell gyntaf yn adleisio llinell Ceiriog 'Pan welais gyntaf Fenna Rhên' ('Alun Mabon').

> Pan welais ddwytha' Iola Dodd,
>   Ryw fore o Fehefin,
> Yr oedd hi'n golchi'r llawr i'w nain
>   Ar aelwyd Llys Llywelyn.
> Mae Iola'n gysur mawr i'w mam
>   A'i thad a'i chwaer fach swynol,
> Mae'n eneth weithgar yn y tŷ,
>   Mae'n eneth dda'n yr ysgol.
>
> Yncl Bob, Bethesda
> Medi 18, 1949

201

202. Trwydded gyrru car R. Williams Parry.

203.   Priodas Gwyn a Mair.
'Roedd Gwyn Jones yn nai i
R. Williams Parry, mab Dora ei
chwaer. Ar y chwith,
D. Caradog Evans, cefnder
Williams Parry, mab Modryb
Catherine y bardd, o'r
Drenewydd. Saif Dora Owen
Jones ar ochr dde y llun, ac wrth
ei hochr, Geraint Caradoc
Evans, mab D. Caradog Evans.

204.   Gwyn Jones, mab Dora a'r
Parch J. Owen Jones, yn lifrai y
Llu Awyr, yn ystod yr Ail Ryfel
Byd. Ef a'i deulu oedd unig
ddisgynyddion teulu Rhiwafon.

205.   Mrs Gwenfair Aykroyd,
merch Gwyn Jones, a David, ei
gŵr, a'u dwy ferch Stacey (ar y
chwith) a Donna, o flaen eu
cartref yn Y Bala. Llun a
dynnwyd ym Mawrth, 1997.

203

204

205

206

207

206. Catherine (Katie) Hughes (1889-1963), cyfnither Williams Parry: ei mam, Mary, yn chwaer i'w fam. Ei thad oedd y Parch. Owen Hughes, a fu'n weinidog yn Sir Drefaldwyn, Tanrallt a Thal-y-sarn yn Nyffryn Nantlle, ac yna yn Llangaffo, Môn. Bu Catherine Hughes yn genhades ym Mizoram (sef Lushai) o 1924 hyd 1962.

207. Miss Gwen Catherine Evans, un o bedwar plentyn D. Caradog Evans (cefnder R. Williams Parry), a'i wraig. Treuliodd flynyddoedd yn genhades yn yr India. Tynnwyd y llun yn Shellong ym Mawrth 1991, adeg dathlu canrif a hanner dyfodiad yr Efengyl i Fryniau Khasia.

208. Robert Alun Roberts (1894-1969); mab Glan-gors, ger Tanrallt, Dyffryn Nantlle; Athro Llysieueg Amaeth Coleg y Brifysgol, Bangor. Yr oedd yn un o gyfeillion Williams Parry, yn arbennig pan oeddynt yn ieuainc. 'Roedd ei gartref ar fin Mynydd Cwm Silyn, a Mynydd Cwm Dulyn.

> 'Un cof am y bardd Williams Parry – soned 'Y Llwynog'. Mynd wedi te yn yr hen gartref ar gyda'r nos Sul hyfryd yng Ngorffennaf – y 'drindod faen' yn y soned, sef y bardd ei hun, fy nghefnder Richard Thomas – Dic Cae'r Ffridd i ni – a minnau, a dod ar draws y llwynog ar ochr Y Graig Goch uwchlaw Cwm Dulyn . . .'
>
> R. Alun Roberts, 'Atgofion y Dr R. Alun Roberts', *Y Gwrandawr* yn *Barn*, Medi 1969; ailgyhoeddwyd yn *Cyfres y Meistri 1: R. Williams Parry*, Gol. Alan Llwyd

208

209. Copi carbon Williams Parry o'i lythyr at 'Bob', sef R. Alun Roberts. Eglura iddo paham y gwrthododd Fathodyn y Cymmrodorion: 'Am Saunders Lewis y meddyliwn yn bennaf wrth reswm: ac onid yw'n rhyfedd na buasai y Cymmrodorion wedi cynnig ei bathodyn iddo ef bellach?' Dengys y llythyr, a ysgrifennwyd ym 1950, y daliai Williams Parry i deimlo i'r byw dros ei gyfaill, a bod digwyddiadau 1936 yn dal yn fyw yn ei gof.

210. Y Parch. John Roberts, Llanfwrog. Er i John Roberts dreulio chwe blynedd yn weinidog yn y Carneddi, Bethesda (1938-1944), dim ond ar ôl iddo symud i Borthmadog, ac ennill cadair Eisteddfod Dyffryn Ogwen ym 1946, ac R. Williams Parry yn beirniadu, y daeth y ddau i adnabod ei gilydd, a daethant i adnabod ei gilydd yn dda.

209

```
CYFRINACHOL                          Coetmor,
                                     Bethesda,
                                     Bangor.
                                     Awst 16,1950.

Annwyl Bob,

        Yr oedd yn ddrwg iawn gennyf dderbyn dy lythyr echdoe
a deall nad yw Mr.Cecil-Williams ddim yn fodlon o gwbl ar fy
ngwaith yn gwrthod Bathodyn y Cymmrodorion. Yr oeddwn i dan yr
argraff fy mod yn rhoi rhesymau digonol iddo dros ei wrthod, sef
bod eraill o'n beirdd a'n llenorion (gweler Gwŷr Llên Aneirin ap
Talfan) yn ei haeddu'n llwyrach na mi. pe na bai ond ar gyfrif y
lliaws cyfrolau a gyhoeddasant, a'm bod i eisoes wedi cael gradd
D.Litt. gan Brifysgol Cymru nor ddiweddar â 1946. Am Saunders Lewis
y meddyliwn yn bennaf wrth reswm: ac onid yw'n rhyfedd na buasai Cym.
Cymmrodorion wedi cynnig ei bathodyn iddo ef bellach? Ai am fod rhai o
f
feirniaid llymaf ein llenor mwyaf yn aelodau ohoni? Prifysgol Cymru
a'i diswyddodd. fe mi'th glywaf yn ateb. Nage ddim: Coleg Abertawe
a wnaeth hynny. Petasai S.L. ar staff Coleg Bangor ni buasai'n syn
gennyf pe cawsai ei le yn ôl fel Valentine a D.J.Williams. Yr oedd
hyd yn oed Saeson staff Bangor o'i blaid. Pan aeth Tom (Parry) a
minnau ati i geisio enwau ar y Ddeiseb a ofynnai am ei edfryd i'w
swydd, a galw heibio i'r athrawon Dodd, Rowley, Wright a Mr.R.W.King,
torasant eu henwau yn frwdfrydig, gan ddywedyd bron yn yr un geiriau,
"Certainly: the man has taken his physic. There is no point in
further punish ment." Ond paid â gofyn i mi beth a ddywedodd rhai o'r
cymrodyr Cymreig.

        Os oes eisiau rheswm llai high-falutin', dyma fo, ac
nid oes neb sy'n debycach o'i dderbyn na thydi dy hun. Sicr hawyd fi
cyn imi fynd am fy ngradd yng Nghaerdydd na byddai raid imi yngan gair
na chyn nac ar ôl y seremoni. Ti gofi'r hash a wnes ohoni pan gymerais
le Silyn druan i feirniadu'r adrodd yng Nghylchwyl Lenyddol Tarallt!
                      Cofion ac atgofion gant,
```

210

Ym Mhorthmadog (1945-1957) daeth John Roberts yn gyfeillgar â'r Parch. William Jones, Tremadog, un o gyfeillion Williams Parry er dyddiau coleg ym Mangor. Felly y ffurfiwyd y drindod o feirdd a fu'n crwydro'r Lôn Goed 'yn ystod dyddiau heulog hafau 1946-53' chwedl John Roberts.

211

211. *Cerddi'r Gaeaf* a gyhoeddwyd yn Hydref 1952. Diolcha'r bardd am gymorth cyfeillion i gyhoeddi'r gyfrol, sef, 'Mr. Gwilym Evans, B.A., yr Athro T. Parry, M.A; a Mr. J. O. Williams, M.A.'. Erbyn hynny, yr oedd iechyd R. Williams Parry yn fregus iawn.

'Cymharol fychan yw swm cynnyrch R. Williams Parry, dwy gyfrol o gerddi yn unig, ond y mae tua hanner cant o gerddi a fydd o werth parhaol: y sonedau rhamantus cynnar, yr englynion er cof am gyfeillion a fu farw yn y Rhyfel Byd Cyntaf, telynegion natur y 1920au sy'n cyfleu mor odidog o synhwyrus ryfeddod Creadigaeth a darfodedigrwydd pethau, cerddi am heneiddio a rhaib amser, sonedau diwedd y 1930au, sydd ar yr un pryd yn tosturio at ddyn ond yn ddeifiol o feirniadol o'i fychander a'i hunanfodlonrwydd.'

Cydymaith i Lenyddiaeth Cymru, Gol. Meic Stephens (1986)

212. R. Williams Parry a John Roberts ar y Lôn Goed.

'Byddai Williams Parry a William Jones (Tremadog) a minnau'n cyfarfod yn aml ar y Lôn Goed yn Eifionydd, wedi imi fynd i fyw i Borthmadog. Digwyddai hynny ar ddyddiau tesog yn yr haf. Rhaid oedd iddi fod yn gynnes-braf, gan fod y ddau fardd yn arswydo cael annwyd. Yr oedd ofn cael gwenwyn yn arswyd arall ar William Jones. Wrth hen orsaf rheilffordd Yr Ynys yn Eifionydd y cyfarfyddem, a phob un wedi dod â lluniaeth a llawenydd ar gyfer seiadu ar y Lôn enwog. Ni chofiaf drafod dim byd *mawr* yn y seiadau hyn. Bod ar y Lôn, dan ei changhennau plethedig, oedd y diddanwch pennaf.'

John Roberts, *Barn*, Mawrth 1984

212

213

213. Williams Parry ar y Lôn Goed. Llun a dynnwyd gan John Roberts. Yr oedd R. Williams Parry yn gyfarwydd â'r Lôn Goed er pan oedd yn blentyn. Iddo ef, yn wahanol i John Roberts a William Jones, 'roedd y teithiau i'r Lôn Goed yn deithiau llawn atgofion, yn bererindodau yn ôl i'w blentyndod.

214. Telegram (11 Mai, 1951) oddi wrth R. Williams Parry at y Parch. John Roberts, i ddweud ei fod yn 'Cychwyn yn awr' o Fethesda am y Lôn Goed. Byddai Williams Parry yn manylu ar y trefniadau trwy lythyr yn ogystal.

215. Llun o'r Lôn Goed a dynnwyd gan John Roberts ym 1955.

214

Charges to pay	POST OFFICE
s. d.	TELEGRAM
RECEIVED	Prefix. Time handed in. Office of Origin and Service Instructions.
At 2 25 m	
From	2 15 Bethesda
By	

Parch John Roberts Portmadoc -
Cychwyn yn awr = Parry

215

A llonydd gorffenedig
   Yw llonydd y Lôn Goed,
O fwa'i tho plethedig
   I'w glaslawr dan fy nhroed.
I lan na thref nid arwain ddim,
Ond hynny nid yw ofid im.

   'Eifionydd', *Cerddi'r Gaeaf*

216

217.   Dau o drindod beirdd y Lôn Goed – R. Williams Parry a William Jones. Tynnwyd y llun gan John Roberts.

'Wrth chwilio ymhlith llythyrau R. Williams Parry . . . daeth imi fawr hiraeth amdano, ac am y prynhawniau byth-gofiadwy a dreuliais gydag ef a William Jones (Tremadog) ar y Lôn Goed yn Eifionydd yn ystod dyddiau heulog hafau 1946–1953. Amgaeaf ddarlun o R.W.P. a W.J. a dynnais yn ymyl stesion yr Ynys ar gwr y Lôn Goed ar bnawn braf yng Ngorffennaf 1949 . . .'

Y Genhinen, Gwanwyn 1965. Rhan o lythyr y Parch. John Roberts at Meuryn, y Golygydd

218.   Llun arall o'r ddau fardd gyda'i gilydd ger y Lôn Goed.

216.   William Jones a Williams Parry yn eistedd yng Nghapel y Beirdd ar un o'r troeon i'r Lôn Goed. Cyfeiria Williams Parry at y llun hwn mewn llythyr at John Roberts, dyddiedig 11 Medi, 1949:

'Diolch yn fawr ichwi am y lluniau, John. Yr oedd Dr. Rees Pritchard yn gofyn am eu gweld pan oedd yma echdoe. Mae o wedi bod yn reit ffyddlon imi, chwarae teg iddo. Ond y llun y leiciwn i fod wedi ei gael fuasai llun wyneb gwraig tŷ Capel y Beirdd pan agorodd y drws wedi clywed yr harmoniwm. Credaf y buasai wedi cael *fit* nes gwelodd goler W. J., er mai yn sêt y pechaduriaid yr oedd. Pnawn byth-gofiadwy.
    Wel, i Eifionydd y bydd fy siwrnai 1af un pan deimlaf yn holliach.

Cofion fflamgochion gant. R.W.P.'

217

218

219

R.W.P.

Cofiaf ar Ffordd y Coleg
    Dy gyfwrdd gynta' 'rioed,
Yn siriol ddiymhongar
    A thwt o'th ben i'th droed,
Clywaf dy lais yn seinio'n llon
A chlên fy enw y funud hon.

Siriol a diymhongar
    Y'th gefais ym mhob lle,
Gartref yn sipio'r coffi,
    Mewn car yn cyrchu'r dre,
Di-frwd a difyr fel erioed
Yng nghanol llonydd y Lôn
        Goed.

Ac eto Dewin oeddit
    Er dy agosrwydd im,
A hudlath iti'n eiddo
    Nas cwhwfanit ddim
Onid yn ddirgel, ac ni wyr
Neb dy gyfrinach di yn llwyr.

William Jones
Y Genhinen, Gwanwyn 1956

219.   Cerdd gan William Jones sy'n sôn am ei gyfeillgarwch â Robert Williams Parry, ac yn dwyn i gof yr ymweliadau â'r Lôn Goed.

220.   Er gwaethaf ei amheuon crefyddol yr oedd Williams Parry yn hoff o gwmni gweinidogion, a dengys gydymdeimlad â hwy mewn sawl cerdd, megis y gerdd 'Democratiaeth', ac yn ei gefnogaeth i'w weinidog ym Methesda. Mewn llythyr at ei gyfaill y Parch. John Roberts (2 Ebrill, 1946) gwelir bod gwreiddyn y cydymdeimlad hwnnw yn ddwfn yn nyddiau ei blentyndod a hanes ei deulu. Dyma ran o'r llythyr (y Parch. Robert Hughes, olynydd John Roberts yn y Carneddi, oedd yr 'R.H.' y cyfeirir ato):

'Mae'n ddiau eich bod wedi clywed bod R.H. yn bur gymeradwy eisoes. Ond Duw a'ch helpo chwi weinidogion y Gair! Nid *pose* yw fy "nhosturi", tuag atynt. 'Roedd fy nhaid yn weinidog: priododd fy modryb weinidog (y Parch. Owen Hughes, Llangaffo), a phriododd fy chwaer un (y Parch. J. O. Jones, Dyffryn); a chof am yr hyn oedd gan fy nain a'm modryb a'm chwaer i'w ddweud am ddiaconiaid a bair i mi eu rhegi hwy.'

Papurau y Parch. John Roberts yn Llyfrgell Genedlaethol Cymru

221

221.   Y Parch. T. Arthur Jones a'i deulu. Oherwydd anghydfod rhyngddo a blaenoriaid Capel Jerusalem, Bethesda, ym 1939-1940, fe ymadawodd y Parch. T. Arthur Jones, y gweinidog, â'r weinidogaeth. Asgwrn y gynnen oedd rhoi ysgoldy'r capel at wasanaeth y ffoaduriaid rhag y bomio, sef y plant a ddaethai o Loegr i Fethesda am loches. Gwrthodai'r blaenoriaid ganiatáu defnyddio'r ysgoldy. Gyda'r gweinidog yr oedd

220

Democratiaeth

Duw gadwo'i weinidogion
Nad ydynt gyfoethogion,
Ond sy'n gorfod profi hyd fedd
Drugaredd Cristionogion.

Rhwng ambell fwli o flaenor
Sy'n waeth nag arglwydd
        maenor,
Ac ambell gecryn sydd mor gas
Ei slas â Modryb Gaenor;

Rhwng Israel a'r Assyriaid,
Y saint a'r pechaduriaid;
Rhwng byddarol stêm y brwd
A rhwd y cysgaduriaid, –

Duw ŵyr pa fodd y mae ar
Eu ffydd drwy boeth a chlaear.
Caffont nef heb awel chwern;
Cânt uffern ar y ddaear.

Cyhoeddwyd gyntaf yn
Heddiw II, Rhif 5,
Mehefin 1937.

cydymdeimlad Williams Parry, gymaint felly nes iddo, dros-dro, ei ddiaelodi ei hun o'r capel. Gwnaethai ei gyfaill J. O. Williams yr un modd. Yn ei gerdd 'Gwrthodedigion' (1940), fe wêl Williams Parry y 'Cyn-weinidog', T. Arthur Jones, yn yr un goleuni ag y gwelodd Saunders Lewis a George M. Ll. Davies, dau arall a ddioddefodd gam ac a wrthodwyd.

Gwrthodedigion

Y Cyn-Weinidog

Yr olaf ydyw'r diwyd fugail hwn
Na fedd un ddafad yn y cread crwn
Oherwydd bod ei gariad at ryw blant
Yn fwy nag at y seiat ac at sant!

1940

224

225

222

223

222.   Nancy, chwaer iau R. Williams Parry, a'i gŵr, H. P. Pritchard.

223.   Dora Jones, chwaer y bardd. Tynnwyd y llun yn Ninbych, lle'r oedd ei gŵr, y Parch. John Owen Jones, yn weinidog ar eglwys Stryd Henllan – ei ofalaeth gyntaf. Ar ôl pum mlynedd yn Nyffryn Clwyd cafodd alwad i Landderfel a Chefnddwysarn, ac aros yno ddeng mlynedd.

224.   Tair chwaer R. Williams Parry, yn nrws Rhiwafon, Tal-y-sarn. O'r chwith, Kate, a arhosodd yn y cartref – fe briodasai Richard Williams, Tan-lein, Tal-y-sarn; Dora – gwraig y Parch. John Owen Jones; a Nancy, a briododd H. P. Pritchard, Bangor. Fe gadwai hi siop a llythyrdy ym Mangor Uchaf, heb fod nepell o'r Coleg (55 Ffordd Caergybi). Buasai'r chwaer hynaf, Jane Elizabeth, farw yn dair ar ddeg oed ym 1886.

225.　Dora Jones, a Gwyn ei mab, yn nrws Rhiwafon.

226.　Yn nrws y tŷ yng Nghoetmor. O'r chwith: Gretta, Myfanwy, Williams Parry, Mrs Elizabeth Davies, mam Myfanwy, a'i mab-yng-nghyfraith, D. J. Phillips o'r Rhos, gŵr Olwen. Tynnwyd y llun ym 1951.

227.　Yng Nghoetmor: Myfanwy, Williams Parry, Mrs Elizabeth Davies, ac Agnes, gwraig Maldwyn Davies, brawd Myfanwy Williams Parry.

226

228

227

228.　'Mam, Bob a minnau o flaen ein tŷ yng Nghoetmor', a ysgrifennodd Myfanwy Williams Parry wrth ochr y llun hwn, a dynnwyd ym 1952.

229

229. Jessie Roberts, gwraig y Parch. John Roberts, R. Williams Parry, a Myfanwy Williams Parry yn nrws y tŷ yng Nghoetmor ym 1951 – llun a dynnwyd gan John Roberts. Ar 22 Hydref, 1951, fe ysgrifennodd Williams Parry lythyr at John Roberts i ddiolch am y llun. Dyma ddyfyniad:

'Annwyl John,
   Mae'n gywilydd gennyf fy mod wedi aros gyhyd heb gydnabod eich caredig lythyr a'ch angharedig snapiau. Mae Myfanwy heb orffen chwerthin byth er pan welodd siâp fy nhrowsus. Nid ar y camera yr oedd y bai, bid siŵr, ond ar helaethrwydd y dywededig drowsys (sic). Am eich anrhydeddus wraig mae'n *rhaid* imi bellach gredu ei bod fodfeddi yn dalach na mi, fel y mae Enid Parry. Fodd bynnag, ni chynnwys Cymru, Lloegr, na Llanrwst ferched mwy hawddgar na'r ddwy sydd o bobtu imi yn y llun.

P.S. – Mae M. yn dweud na welodd ei hun erioed mor debyg i wraig yn mynd i olchi *ffor the de!*'

Papurau y Parch. John Roberts
yn Llyfrgell Genedlaethol Cymru

230. Llun o R. Williams Parry a dynnwyd gan J. O. Williams yn ei gartref, Meifod, Bethesda.

231. R. Williams Parry y tu allan i'w gartref yng Nghoetmor.

232. R. Williams Parry gyda'i gymar 'hawddgar, beniog', ei 'angel' ar ei hynt.

230

231

232

233

234

233. Myfanwy Williams Parry (yr ail o'r chwith yn yr ail res) gydag aelodau Sefydliad y Merched, Carneddi, Bethesda, ar ymweliad â ffatri Wedgwood ym 1961. Fe fu hi yn Llywydd Sefydliad y Merched ym Methesda, ac yn Llywydd Merched y Wawr yn Rhosllannerchrugog.

234. Mrs Iola Parry gyda'i mab bychan, Llion, a'i Modryb Myfanwy.

235

235. Portread pin a golchiad o R. Williams Parry gan John Petts, a gedwir yn Amgueddfa Genedlaethol Cymru, Caerdydd. Seiliodd yr arlunydd ei bortread ar ddarluniau pensel a wnaeth o'r bardd pan ymwelodd â'i gartref, ddydd Iau, 21 Ebrill, 1955, ac ar nifer o ffotograffau ohono gan J. O. Williams. Cafodd John Petts fenthyg saith o'r ffotograffau hyn gan Myfanwy Williams Parry, ac ychwaneg gan J. O. Williams ei hun. Comisiynwyd y gwaith gan Gyngor Celfyddydau Cymru.

O'r defnyddiau a gasglodd, fe wnaeth John Petts bedwar portread. Dewiswyd yr un ar gyfer yr Amgueddfa gan banel o dri: Saunders Lewis, Iorwerth C. Peate, ac R. L. Charles. Ond nid yr un a ddewiswyd oedd ffefryn Saunders Lewis.

236. Un o'r ffotograffau gan J. O. Williams sy'n sail i'r portread o R. Williams Parry gan John Petts sydd yn Amgueddfa Genedlaethol Cymru. Tynnwyd y llun hwn ym Meifod, cartref J. O. Williams.

236

237

237. Portread pensil coch o R. Williams Parry gan John Petts sydd yn Llyfrgell Genedlaethol Cymru, Aberystwyth. Y portread hwn oedd ffefryn Saunders Lewis o'r pedwar portread a wnaed gan John Petts ym 1955. Fe lwyddodd Saunders Lewis i'w brynu iddo'i hun, ond yn fuan ar ôl ei brynu fe'i rhoddodd yn anrheg i Myfanwy Williams Parry. Ar ei gais ef, fe wnaed cytundeb rhyngddo a Myfanwy Williams Parry ynglŷn â dyfodol y darlun: pe byddai hi yn marw gyntaf, y dychwelid y darlun iddo ef, Saunders Lewis, a phe byddai hi yn ei oroesi, y cyflwynid y darlun, ar ei marwolaeth, i'r Llyfrgell Genedlaethol. Fe arwyddodd Myfanwy Williams Parry y cytundeb ar 27 Hydref, 1956.

238

238. Bu farw R. Williams Parry ddydd Mercher, 4 Ionawr, 1956. Buasai ei iechyd yn fregus ers blynyddoedd lawer. Llun o'r garreg fedd ym Mynwent Coetmor, Bethesda.

239

240

'Fe gollwyd bellach o'n plith ryw drysor anchwiliadwy, rhyw hanfod elfennaidd nad yw'n trigo yn un o feibion dynion ond unwaith bob cwrs hir iawn o flynyddoedd – os yn wir y digwydd fwy nag unwaith yn hollol yr un fath. Nid elfen neu hanfod sy'n perthyn i ddynolryw ydyw, ac ni allwyd erioed esbonio'r peth yn iawn. Y mae megis rhyw ddoethineb ddwyfol neu ddewinol sy'n disgyn yn ddiferion prin i enaid ambell un yn awr ac yn y man, a Duw'n unig a ŵyr pwy fydd yr ambell un ffodus – neu anffodus.'

'Colli Robert Williams Parry', T. H. Parry-Williams

Fe symudodd Myfanwy Williams Parry i fyw i Rosllannerchrugog ym mis Rhagfyr, 1964. Bu farw ym 1971.

242

241

239. Stephen J. Williams, Thomas Parry ac R. L. Gapper yn sefyll o flaen Cofeb R. Williams Parry yn Nhal-y-sarn, ar ddiwrnod y dadorchuddio, sef dydd Sadwrn, 4 Hydref, 1969. R. L. Gapper oedd cynllunydd y Gofeb.

240. Dadorchuddio Cofeb Robert Williams Parry yn Nhal-y-sarn, gan ei weddw, Myfanwy. Ar y chwith, Mrs. A. L. Owen, Plas Coedmadog, Tal-y-sarn, a roddodd y tir ar gyfer y gofeb, ac ar y dde, yr Athro Stephen J. Williams.

241. Cyfarfod Coffa R. Williams Parry a gynhaliwyd yng Nghapel Hyfrydle, Tal-y-sarn, ar ôl dadorchuddio'r gofeb ar 4 Hydref, 1969. Yn y sêt fawr, o'r chwith: R. L. Gapper, John Gwilym Jones, W. H. Roberts, J. O. Roberts, Gwyndaf, y Parch. John Roberts, Caernarfon (un o drindod y Lôn Goed), a Stephen J. Williams.

242. Y llechen ar fur Rhiwafon, Tal-y-sarn:

YMA Y GANED
ROBERT WILLIAMS PARRY
1884-1956
BARDD YR HAF A'R GAEAF.

243

244

DAWN DWEUD

R Williams Parry

Bedwyr Lewis Jones

Golygwyd a chwblhawyd gan Gwyn Thomas

243. W. Seth Owen, aelod o Gyngor Coleg y Brifysgol, Bangor, a brodor o Dal-y-sarn, yn dadorchuddio'r plac llechfaen ar fur Rhiwafon, ddydd Gwener, 3 Rhagfyr, 1971. Yr oedd y tŷ wedi ei adael i Goleg Bangor dair blynedd ynghynt gan Richard Williams, gŵr Kate, chwaer R. Williams Parry. Fe adnewyddwyd y tŷ gan y Coleg.

Gwnaed y plac gan y cerflunydd Jonah Jones, a rhoddwyd ef gan Gymdeithas y Celfyddydau yng Ngogledd Cymru. Cynhaliwyd cyfarfod teyrnged i'r bardd ar ddiwrnod y dadorchuddio yng Nghapel Hyfrydle, Tal-y-sarn, lle siaradwyd gan Thomas Parry a Bedwyr Lewis Jones.

244. Cofiant R. Williams Parry gan y Diweddar Athro Bedwyr Lewis Jones, wedi ei olygu a'i gwblhau gan yr Athro Gwyn Thomas. Cyhoeddwyd ym 1997.

245. *Cywydd i Ddathlu*
      Canmlwyddiant Geni
      Robert Williams Parry

Ymrown ym mro ei eni
I'w fawrhau, cydeiliwn fri
Un ohonom ni'n hunain,
Llion, pencerdd y gerdd gain;
Sofraniaeth llên, eleni,
I Fardd yr Haf rhodder hi.

Eilyn beirdd, o galon bur,
Gweledydd ymysg gwladwyr,
'Roedd y gamp i'w gerddi gynt
A'u modd yn batrwm iddynt;
Gwefr oedd i'w gyfarwyddyd
Athro hoff – rhyw ddieithr hud.

I we'r gerdd dôi clychau'r gog,
I'w llain ddireidi'r llwynog;
Astud y gwyliai ystof
Lliw'r digymar deigar dof;
Gwyrth eu bod rhyfeddod fu,
A rhannai'r gorawenu.

Yn nhir gwâr aradr ac og
Gŵr mwyn, ond dôi'r gair miniog;
Codai, ysgydwai gedyrn,
Melyster âi'n chwerwder chwyrn
A chenedl i'w dychanu
O wneud cam ag enaid cu.

Gydol dwy Armagedon
Tristáu gyda'r llanciau llon;
Gwybu'r rhwyg o'u bwrw i hedd
Y fynwent. Eu cyfannedd
Ymhell, a'u hanwyliaid mwy
Yn fud wrth oeraf adwy.

Ofnai hwn efyn henoed
Yn wael wr yn ganol oed,
A'r Angau'n dwysáu pob sôn
Ef, a'i wyll digyfeillion,
Pan syrthiai'n brae i'r Gaeaf
Firaglau synhwyrau'r Haf.

Ni bu pencerdd â'i gerdd gaeth
Oedd unwedd â'i ddewiniaeth,
Na bardd rhydd 'roes gelfydd gân
O radd uwch na cherdd ddychan;
Bardd i feirdd uwchlaw beirdd fu,
Rhodd fawr i feirdd yfory.

Derwyn Jones,
Cerddi Derwyn Jones (1992)

245

Diolchiadau

Diolchaf i'r Prifardd Alan Llwyd a Chyhoeddiadau Barddas am y gwahoddiad i olygu'r llyfr hwn. Dymunaf ddiolch i Alan Llwyd yn ogystal am ei gymorth parod bob amser, a'i hir amynedd yn disgwyl gyhyd i'r golygydd gwblhau ei waith. Mae diolch yn ddyledus hefyd i'r dylunydd, Miss Marian Delyth, am ei gwaith trylwyr.

Diolch i Mrs Iola Parry, Rhosllannerchrugog, am ganiatáu imi wneud copïau o'r lluniau a oedd yn albwm ffotograffau ei modryb, Myfanwy Williams Parry; am ei chroeso y tri thro y bûm yn ei chartref yn copïo lluniau, ac am ei hatgofion gwerthfawr am ei modryb, a'i hewythr, a theulu ei mam.

Yn Y Bala, cefais yr un croeso a rhwyddineb i wneud copïau o luniau gan Mrs Gwenfair Aykroyd, gor-nith R. Williams Parry, a chael y fraint o ddarllen rhai papurau teuluol, a gwneud copi o rai ohonynt.

Diolchir i Mr Gruffudd Parry, cefnder R. Williams Parry, am gael benthyg rhai lluniau a chaniatâd i wneud copi ohonynt, a bu'n garedig iawn yn ateb nifer o ymholiadau am y teulu.

Mewn sawl sgwrs, fe roes Dr John Llywelyn Wynne Williams, Bangor, wybodaeth imi am gyswllt ei dad, J. O. Williams, ag R. Williams Parry, ac am ei gyswllt ef ei hun yn blentyn â'r bardd. Diolch iddo yn ogystal am ganiatâd parod i wneud copïau o ffotograffau ei dad.

Diolchaf i Mrs Judith Hughes, Llandegfan, merch y Parch. John Roberts, am ei chroeso pan elwais i wneud copïau o'r lluniau a dynnodd ei thad ar y Lôn Goed ac ym Methesda. Diolchir yn ogystal am ei chaniatâd i wneud copïau o rai eitemau o'r casgliad: *Papurau y Parch. John Roberts, Llanfwrog*, a gedwir yn Llyfrgell Genedlaethol Cymru.

Diolch i Mrs Eleri Wyn Jones am ganiatâd i gopïo lluniau o gasgliad Bedwyr Lewis Jones.

Diolch i Mrs Aelwen Roberts, Amlwch, am ganiatáu imi gopïo lluniau yn ei chartref, ac am ei chroeso.

Bu Mrs Catherine Wright, Caer, a Mrs Laura Roberts, Llandudno, y ddwy o gyff Hendrecennin, garediced â chaniatáu imi gopïo lluniau a rhai papurau teuluol. Diolchir iddynt.

Yr wyf yn ddyledus i Mrs Sheila Mansfield, Matlock, a'i chwaer Mrs Pat Robinson, Deganwy, nithoedd Myfanwy Williams Parry, am ganiatâd i lun-gopïo dogfennau yn y casgliad *Papurau R. Williams Parry* yn Llyfrgell Genedlaethol Cymru. Diolchir am gymwynas gyffelyb i Mrs Lynn Davies, Dinbych, ynglŷn â *Papurau Syr T. H. Parry-Williams a'r Fonesig Amy Parry-Williams* a gedwir yn Llyfrgell Genedlaethol Cymru.

Rhoes Mr O. M. Roberts ei amser i draethu ei atgofion am R. Williams Parry wrthyf, a chefais ddefnyddio lluniau a llythyrau'r bardd ato.

Diolchaf i Mrs Anna Petts a Mrs Kusha Petts am gael defnyddio'r portreadau o R. Williams Parry a wnaed gan John Petts, ac am atgofion hynod werthfawr Mrs Kusha Petts am ymweliad John Petts â chartref R. Williams Parry. Rhoir diolch i Amgueddfeydd ar Orielau Cymru am roi heibio eu hawl i godi tâl am gyhoeddi'r portread o R. Williams Parry gan John Petts a gedwir ym Amgueddfa Genedlaethol Cymru, Caerdydd.

Diolchir i Mr Robin Griffith am dynnu lluniau yng Nghaerdydd yn arbennig ar gyfer y llyfr.

Dymunaf roi ar gof a chadw fy niolch i'r ddiweddar Fonesig Enid Parry am iddi ymddiried i'm gofal lythyrau oddi wrth R. Williams Parry er mwyn imi allu gwneud copïau ohonynt, ac am ei hatgofion am y bardd. Bu'r ddiweddar Mrs Mair Small, Hen Golwyn, wyres William Meiwyn Jones, hithau, yn garedig iawn yn rhoi benthyg lluniau a phapurau teuluol imi.

Hoffwn ddiolch yn gynnes iawn i Mr Derwyn Jones am haelioni ei gymorth. Elwais lawer ar ei wybodaeth ddihafal am farddoniaeth Gymraeg, ac am R. Williams Parry yn arbennig.

Diolchir yn gynnes yn ogystal i'r rhai a ganlyn: Mr Martin Eckley, Mrs Elizabeth Catherine Ellis, Mr Emlyn Evans, Miss Gwen Evans, Mr William H. Evans, Dr Geraint Gruffydd, Mr Arfon Hughes, Y Prifardd Mathonwy Hughes, Miss Dilys Ifor Jones, Mr Ellis Jones, Mr Harri Jones, Mrs Mair Jones, Mrs Rosie Jones, Miss Doreen Lewis, Sioned Penllyn, Dr Emrys Price-Jones, Mrs E. Price-Jones, Dr Meira Pritchard, Y Cyn Is-Brifathro Alwyn Roberts, Mr Guto Roberts, Miss Gwen Rees Roberts, Mr Meic Stephens, yr Athro Gwyn Thomas, Mr Henry Williams, Mr Rol Williams.

Diolchir yn gywir iawn i swyddogion y sefydliadau a ganlyn am rwyddhau fy ngwaith wrth gasglu defnyddiau: Llyfrgell Genedlaethol Cymru, Llyfrgell Coleg Prifysgol Gogledd Cymru, Bangor, Archifdy Gwynedd, Archifdy Powys, ac Oriel Bangor.

Yn olaf diolch i Mair, fy ngwraig, am gymorth gwerthfawr ynglŷn â'r gwaith hwn.

T. Emyr Pritchard

Lluniau

Mrs Iola Parry: 4, 37, 49, 50, 80, 81, 84, 96, 125, 127, 129, 130, 131, 132, 133, 134, 135, 136, 142, 146, 147, 148, 152, 153, 167, 170, 178, 189, 190, 192, 193, 195, 196, 201, 203, 204, 222, 226, 227, 228, 233, 234.

Dr John Llywelyn Wynne Williams: 1, 121, 173, 179-183, 230, 231, 236, 245.

Casgliad Bedwyr Lewis Jones: 5, 39, 75, 85, 157, 158, 159, 166, 186, 221.

Mrs Judith Hughes: 210, 212, 213, 214, 215, 216, 217, 218, 229.

Mrs Gwenfair Aykroyd: 42, 46, 74(b), 223, 224, 225.

Mrs Aelwen Roberts: 14, 15, 18, 21, 33, 142.

Mrs Catherine Wright: 26, 27, 29, 102, 104.

Mr Gruffudd Parry: 126, 139, 140, 141.

Y ddiweddar Mrs Mair Small: 12, 24, 65.

Mr Robin Griffith: 112.

Y ddiweddar Fonesig Enid Parry: 138, 191.

Mr Cai Pierce: 149, 151.

Mr O. M. Roberts: 145, 161.

Miss Gwen Catherine Evans: 207.

Mrs Martha Evans: 47.

Mr William Evans: 105.

Mr R. Silyn Hughes: 169.

Mrs Gwenan Lewis: 154.

Mrs Gwerfyl Martin: 208.

Mrs E. M. Meyrick: 38.

Miss Meinwen Parry: 13.

Dr E. Price-Jones: 110.

Mrs Dilys Foulkes Roberts: 98.

Miss Gwen Rees Roberts: 206.

Mrs Marbeth Roberts: 10.

Llyfrgell Genedlaethol Cymru: 2, 11, 19, 20, 22, 23, 25, 31, 32, 35, 39, 40, 44, 45, 51, 55, 56, 57, 64, 66, 67, 69, 73, 74(a), 76, 82, 87, 90, 91, 93, 94, 95, 100, 101, 103, 106, 119, 122, 123, 124, 137, 155, 156, 160, 163, 164, 165, 168, 177, 184, 185, 186, 188, 194, 197, 198, 199, 202, 209, 237, 239, 240, 241.

Coleg Prifysgol Gogledd Cymru, Bangor: 52, 53, 58, 60, 68, 88, 89, 118.

Archifdy Gwynedd: 17, 34, 36, 41, 70, 71.

Oriel Bangor: 54, 113, 176.

Amgueddfeydd ac Orielau Cymru: 235.

Archifdy Powys: 116.

Dyfyniadau

Diolch i Mr Emlyn Evans, Gwasg Gee, am ganiatâd i ddefnyddio cerddi R. Williams Parry, i Wasg Prifysgol Cymru am ganiatâd i ddyfynnu rhai darnau allan o *Dawn Dweud: R. Williams Parry*, Bedwyr Lewis Jones, ac i Derwyn Jones am ganiatâd i ddefnyddio'i gywydd i R. Williams Parry ar achlysur dathlu canmlwyddiant ei eni.